S0-BYQ-945

Lois Lowry

Le passeur

Traduit de l'anglais (États-Unis)
par Frédérique Pressmann

MÉDiUM

l'école des loisirs

11, rue de Sèvres, Paris 6e

© 2016, l'école des loisirs, Paris, pour l'édition Médium poche
© 1994, l'école des loisirs, Paris, pour l'édition en langue française
© 1992, Lois Lowry
Titre de l'édition originale : « The Giver »
(Houghton Mifflin Harcourt Publishing Company, Boston)
Publié grâce à un arrangement spécial avec
Houghton Mifflin Harcourt Publishing Company
Loi n° 49.956 du 16 juillet 1949 sur les publications
destinées à la jeunesse : mars 1994
Dépôt légal : mars 2022

ISBN 978-2-211-20582-5

Pour tous les enfants,
à qui nous confions l'avenir.

1

On était presque en décembre et Jonas commençait à avoir peur. *Non, ce n'est pas le bon mot*, pensa Jonas. La peur, c'était ce sentiment de nausée profonde quand on pressentait que quelque chose de terrible allait arriver. C'est ce qu'il avait ressenti un an auparavant lorsqu'un avion non identifié avait survolé la communauté à deux reprises. Il l'avait vu les deux fois. Jetant un coup d'œil vers le ciel, il avait vu passer l'appareil effilé – presque flou à la vitesse à laquelle il volait – et une seconde après il avait entendu la déflagration qui avait suivi. Et puis de nouveau le même avion, un instant plus tard, mais dans l'autre sens.

Au début, il avait été fasciné. Il n'avait jamais vu d'avion de si près car le règlement interdisait aux pilotes de survoler la communauté. De temps en temps, quand un avion de marchandises venait se poser sur la piste d'atterrissage de l'autre côté de la rivière, les enfants prenaient leurs vélos et allaient sur la berge assister, intrigués, au déchargement puis au décollage, qui se faisait toujours vers l'ouest, à l'opposé de la communauté.

Mais l'avion de l'an dernier était différent. Ce n'était pas un de ces avions de marchandises trapus, au ventre renflé, mais un monoplace au nez pointu. Jetant un regard inquiet autour de lui, Jonas avait vu les autres – les adultes comme les enfants – interrompre ce qu'ils étaient en train de faire et attendre, perplexes, qu'on leur explique cet événement effrayant.

Et puis on avait ordonné à tous les citoyens de se rendre dans le bâtiment le plus proche et d'y rester. « IMMÉDIA-TEMENT », avait dit la voix qui grinçait dans les haut-parleurs. « LAISSEZ VOS VÉLOS LÀ OÙ ILS SONT. »

Jonas avait aussitôt obéi et il avait laissé tomber son vélo sur le chemin qui se trouvait derrière son habitation familiale. Il était rentré à la maison en courant et était resté là tout seul. Ses parents étaient tous les deux au travail et sa petite sœur, Lily, au Centre des enfants où elle allait tous les jours après l'école.

En regardant par la fenêtre, il n'avait vu personne : ni les agents de nettoyage, ni les jardiniers, ni les équipes de livraison des aliments, rien de la foule affairée qui d'ordinaire peuplait les rues à cette heure-ci de la journée. Il ne voyait que les vélos abandonnés çà et là sur le côté ; une roue tournait encore lentement sur elle-même.

Là, il avait eu peur. Sentir sa communauté plongée dans le silence et l'expectative lui retournait l'estomac. Il avait tremblé.

Mais ce n'était rien. Quelques minutes plus tard, les haut-parleurs avaient recommencé à grésiller et la voix avait expliqué, sur un ton rassurant et moins pressant cette fois, qu'un pilote-en-formation avait mal lu ses instructions de vol et avait opéré un virage au mauvais moment. Le pilote avait ensuite désespérément essayé de faire demi-tour avant qu'on ne remarque son erreur.

« IL VA SANS DIRE QU'IL SERA ÉLARGI », avait dit la voix, suivie d'un silence. Il y avait quelque chose d'ironique dans l'intonation de ce dernier message, comme si l'annonceur trouvait cela amusant ; et Jonas avait esquissé un sourire, bien qu'il sût de quoi il s'agissait. Pour un citoyen, être élargi par la communauté constituait une décision définitive, une punition terrible, un constat d'échec insurmontable.

Même les enfants étaient grondés s'ils utilisaient ce terme à la légère pour se moquer d'un camarade qui avait raté la balle ou qui s'était emmêlé les pinceaux en courant. Jonas l'avait fait une fois. Il avait crié à son meilleur ami : « Ça y est, Asher, tu es élargi ! » un jour où une maladresse de ce dernier avait fait perdre un match à leur équipe. Jonas avait été pris à part par l'entraîneur pour un entretien court mais sérieux, avait baissé la tête de honte et d'embarras et s'était excusé auprès d'Asher à la fin du jeu.

Maintenant, repensant au sentiment de peur tandis qu'il pédalait sur le chemin qui longeait la rivière pour rentrer chez lui, il revoyait cet instant où la frayeur, palpable, lui avait fait comme un trou dans l'estomac quand l'avion avait strié le ciel au-dessus de sa tête. Ce n'était pas ce qu'il ressentait à présent à l'approche du mois de décembre. Il se mit en quête du mot exact pour décrire ce qu'il ressentait.

Jonas faisait attention aux mots qu'il utilisait. Pas comme son ami Asher, qui parlait trop vite et embrouillait tout, mélangeant les mots et les expressions jusqu'à ce qu'elles deviennent à peine reconnaissables et souvent très drôles.

Jonas sourit en se rappelant le jour où Asher était

arrivé en classe hors d'haleine, en retard comme d'habitude, au beau milieu du chant du matin. Quand la classe s'assit à la fin de l'hymne patriotique, Asher resta debout pour présenter des excuses publiques comme il était de rigueur.

– Je demande pardon à ma communauté d'études de l'avoir dérangée.

Asher débita à toute vitesse l'expression consacrée, cherchant toujours à reprendre son souffle. L'instructeur et toute la classe attendaient patiemment qu'il fournisse une explication. Les élèves souriaient déjà car ils avaient entendu ses explications si souvent !

– Je suis parti de chez moi à l'heure correcte, mais en passant près du vivier j'ai vu une équipe qui séparait des saumons. Je pense que je me suis laissé abstraire. Je demande pardon à mes camarades de classe, conclut Asher.

Il lissa sa tunique froissée et s'assit.

– Nous acceptons tes excuses, Asher.

La classe récita d'une seule voix la réponse consacrée. Plusieurs élèves se mordaient les lèvres pour ne pas rire.

– J'accepte tes excuses, Asher, dit l'instructeur.

Il souriait.

– Et je te remercie car une fois de plus tu nous fournis l'occasion de faire un petit point de vocabulaire. «Abstraire» est un mot trop fort pour décrire la contemplation de saumons.

Il se retourna et écrivit «abstraire» sur le tableau d'instruction. À côté il écrivit «distraire».

Jonas, qui était presque arrivé chez lui, sourit en repensant à la scène. Réfléchissant toujours, tandis qu'il garait sa bicyclette à l'emplacement qui lui était réservé près de la porte d'entrée, il décida que «peur» n'était vraiment pas le bon mot pour décrire ce qu'il ressentait maintenant que décembre était presque là. C'était un mot trop fort.

Il avait attendu longtemps ce mois de décembre exceptionnel. Maintenant qu'il était tout proche, il n'avait pas peur, mais... il avait hâte. Voilà, il avait hâte que cela arrive. Et il était excité, bien sûr. Tous les onze-ans étaient excités à la perspective de cet événement qui arrivait à grands pas.

Pourtant il sentait en lui comme une vague angoisse quand il y pensait, quand il cherchait à imaginer ce qui allait se passer.

De l'appréhension, décida Jonas. *Voilà ce que je ressens.*

– Qui veut passer en premier ce soir? demanda le père de Jonas à la fin du repas.

Parler le soir des émotions qu'on avait ressenties au cours de la journée constituait un des rituels. Parfois, Jonas et sa sœur Lily se chamaillaient pour passer en premier. Leurs parents aussi, bien sûr, suivaient ce rituel et eux aussi chaque soir décrivaient ce qu'ils avaient ressenti. Mais comme tous les parents – comme tous les adultes – ils ne se chamaillaient jamais pour passer en premier.

Ce soir, Jonas non plus n'avait pas envie de se chamailler. Ses sentiments étaient trop compliqués. Il souhaitait les partager mais il n'était pas pressé de commencer à trier parmi les émotions complexes qui l'habitaient, même avec l'aide que ses parents pouvaient lui apporter.

– Vas-y Lily, dit-il en voyant sa sœur, qui était beaucoup plus jeune que lui, une sept-ans seulement, s'agiter sur sa chaise avec impatience.

– J'ai été très en colère aujourd'hui, annonça Lily. On était au terrain de jeu avec mon groupe d'âge du Centre des enfants, et on a reçu la visite d'un groupe de sept-ans, et ils ne respectaient pas du tout les règles. Il y en avait un – un individu masculin, je ne connais pas son nom – qui doublait toujours tout le monde dans la queue du toboggan, alors qu'on était tous en train d'attendre. J'étais très fâchée contre lui. J'ai serré mon poing, comme ça.

Elle brandit son poing et le reste de la famille sourit devant ce petit geste de défi.

– Pourquoi est-ce que les visiteurs ne respectaient pas le règlement, à ton avis ? demanda maman.

Lily réfléchit et secoua la tête.

– Je ne sais pas. Ils se conduisaient comme, comme…

– Comme des animaux ? suggéra Jonas, et il rit.

– C'est ça, dit Lily en riant aussi.

Ni l'un ni l'autre ne savaient ce que le mot signifiait exactement, mais on l'utilisait souvent pour décrire quelqu'un de mal élevé ou de maladroit, quelqu'un à côté de la plaque.

– D'où venaient ces visiteurs ? demanda papa.

Lily fronça les sourcils, essayant de se souvenir.

– Notre moniteur l'a dit dans son discours de bienvenue, mais je ne me rappelle pas. Je ne devais pas faire attention. C'était d'une autre communauté. Ils étaient partis très tôt et ils avaient pris leur déjeuner dans le bus.

Maman hocha la tête.

– Penses-tu qu'il est possible que leur règlement soit différent ? Et donc qu'ils ignorent tout simplement les règles de votre terrain de jeu ?

Lily haussa les épaules mais elle acquiesça.

– C'est possible.

– Tu es déjà allée rendre visite à d'autres communautés, non ? demanda Jonas. Moi, je l'ai fait souvent avec mon groupe d'âge.

Lily acquiesça de nouveau.

– Quand nous étions des six-ans, nous sommes allés passer toute une journée d'école avec un groupe de six-ans dans leur communauté.

– Et comment te sentais-tu là-bas ?

Lily fronça les sourcils.

– Bizarre. Leurs méthodes étaient différentes. Ils apprenaient des choses que mon groupe n'avait pas encore apprises et on se sentait un peu idiots.

Papa écoutait avec intérêt.

– Je pense à une chose, Lily, dit-il, à propos du garçon qui ne respectait pas le règlement aujourd'hui. Crois-tu qu'il est possible qu'il se soit senti bizarre et un peu idiot dans cet endroit nouveau, avec des règles qu'il ne connaissait pas ?

Lily médita la question.

– Oui, finit-elle par répondre.

– J'ai un peu de peine pour lui, dit Jonas, même si je ne le connais pas. J'ai toujours de la peine pour quelqu'un qui se retrouve dans un endroit où il se sent bizarre et idiot.

– Et toi, Lily, qu'est-ce que tu ressens maintenant ? demanda papa. Toujours en colère ?

– Je crois que non, décida Lily. Je crois que j'ai un peu de peine pour lui. Et je regrette d'avoir serré les poings.

Elle sourit jusqu'aux oreilles. Jonas lui sourit en retour.

Les sentiments de Lily étaient toujours bien carrés, assez simples, faciles à résoudre en général. Sans doute les siens l'étaient-ils aussi quand il était un sept-ans.

Il écouta poliment, quoique pas très attentivement, quand ce fut au tour de son père de décrire l'inquiétude qu'il avait ressentie au travail ce jour-là : il s'inquiétait pour l'un des nouveau-nés qui n'allait pas bien. Le père de Jonas était nourricier. Lui et les autres nourriciers étaient chargés de subvenir à tous les besoins physiques et affectifs de chaque nouveau-né durant ses premiers mois. C'était un métier très important, Jonas en était conscient, mais qui ne l'intéressait pas beaucoup.

— De quel sexe ? demanda Lily.

— Masculin, répondit papa. C'est un joli petit individu masculin qui a très bon caractère. Mais il ne grandit pas aussi vite qu'il devrait et il ne dort pas bien. Nous l'avons mis dans la section des soins particuliers où il reçoit une attention supplémentaire, mais le Comité commence à parler de l'élargir.

— Oh non ! murmura maman avec compassion. Je sais combien ça doit te rendre triste.

Jonas et Lily hochèrent aussi la tête avec compassion. L'élargissement des nouveau-nés était toujours triste car ils n'avaient pas eu la chance de connaître la vie au sein de la communauté. Et ils n'avaient rien fait de mal.

Il n'y avait que deux cas où l'élargissement n'était pas une punition. L'élargissement des personnes âgées, qui était un moment de réjouissance venant clore une vie bien remplie et pleinement vécue ; et l'élargissement des nouveau-nés, qui laissait toujours un sentiment d'impuissance. C'était particulièrement dur pour les nourriciers, qui avaient, d'une certaine manière, l'impression d'avoir échoué. Mais cela se produisait très rarement.

– Enfin, dit papa, je vais continuer à essayer. Je pense demander au Comité la permission de l'amener ici le soir, si vous n'y voyez pas d'inconvénient. Vous savez comment sont les équipes de nuit. Je crois que ce petit gars a besoin de quelque chose de plus.

– Bien sûr, dit maman, et Jonas et Lily acquiescèrent.

Ils avaient déjà entendu papa se plaindre des équipes de nuit. Nourricier de nuit était un métier moins prisé qu'on attribuait à ceux à qui manquaient l'intérêt, les qualifications ou la clairvoyance requis pour répondre aux demandes plus importantes de la journée. La plupart des gens qui formaient les équipes de nuit n'avaient pas de conjoint parce qu'il leur manquait aussi la capacité fondamentale de communiquer avec les autres, capacité requise pour pouvoir créer une cellule familiale.

– Peut-être même qu'on pourrait le garder, suggéra Lily en prenant un petit air innocent.

Cela ne trompa personne, ni Jonas ni ses parents.

– Lily, la reprit maman en souriant. Tu connais le règlement.

Deux enfants – un masculin, un féminin – par cellule familiale. C'était écrit très clairement dans le règlement.

Lily gloussa.

– J'avais pensé que pour cette fois, peut-être…

Ensuite ce fut à maman, qui détenait un poste au Centre de la justice, de parler de ses sentiments. Ce jour-là, un récidiviste avait comparu devant elle. Quelqu'un qui avait déjà enfreint le règlement, qui avait subi – du moins l'espérait-elle – une peine juste et adéquate, et qui avait été réinséré dans son métier, son habitation et sa cellule familiale. En le voyant comparaître une nouvelle fois devant elle, elle s'était sentie submergée par le découragement et la colère. Elle s'était même sentie coupable de ne pas avoir réussi à transformer sa vie.

– Et puis j'ai peur pour lui, confessa-t-elle. Vous savez qu'on n'accorde pas de troisième chance. Le règlement veut qu'on soit élargi à la troisième transgression.

Jonas frissonna. Il savait que cela se produisait parfois. Il y avait même un garçon de son groupe d'âge dont le père avait été élargi plusieurs années auparavant. Personne n'en parlait jamais ; c'était une honte innommable. Difficile à imaginer.

Lily se leva et s'approcha de sa mère. Elle lui caressa le bras.

Sans quitter sa place, papa se pencha et lui prit la main. Jonas lui prit l'autre.

À tour de rôle, ils s'efforcèrent de la réconforter. Elle sourit bientôt, les remercia et déclara qu'elle se sentait apaisée.

Le rituel se poursuivit.

– Et toi, Jonas ? demanda papa. Tu es le dernier ce soir.

Jonas soupira. Ce soir, il aurait presque préféré garder ses sentiments pour lui. Mais, bien sûr, c'était contre le règlement.

– Je ressens de l'appréhension, avoua-t-il, satisfait d'avoir fini par mettre la main sur le mot qui convenait.

– Pourquoi donc, mon fils ?

Son père avait pris un air soucieux.

– Je sais bien qu'il n'y a pas de quoi s'inquiéter, expliqua

Jonas, et que tous les adultes sont passés par là. Je sais que tu es passé par là, papa, et toi aussi, maman. Mais c'est la cérémonie qui me tracasse. On est presque en décembre.

Lily ouvrit de grands yeux.

— La cérémonie des douze-ans, dit-elle d'une voix assourdie par le respect que la situation imposait.

Même les petits enfants — ceux de son âge, voire plus jeunes — savaient que cet événement les attendait un jour, eux aussi.

— Je suis content que tu nous en aies parlé, Jonas, dit papa.

— Lily, dit maman en faisant signe à la petite fille, va te déshabiller maintenant. Papa et moi allons rester ici pour discuter avec Jonas pendant un petit moment.

Lily soupira mais elle obéit et descendit de sa chaise.

— En tête à tête ? demanda-t-elle.

Maman acquiesça.

— En tête à tête avec Jonas, répondit-elle.

2

Jonas regarda son père se verser une tasse de café. Il attendait.

– Tu sais, finit par dire papa, le mois de décembre était toujours un moment excitant quand j'étais jeune. Je suis sûr que c'est pareil pour toi et pour Lily. Chaque décembre apporte tellement de changements.

Jonas acquiesça. Il pouvait se remémorer chaque mois de décembre depuis qu'il était devenu, disons, un quatre-ans. Ceux d'avant avaient disparu de sa mémoire. Mais il savait qu'ils avaient toujours été importants et il se rappelait les premiers décembre de Lily. Il se souvenait du jour où sa famille avait reçu sa petite sœur, où on lui avait donné son nom et où elle était devenue une un-an.

La cérémonie des un-an était toujours drôle et bruyante. Chaque décembre, tous les enfants nés au cours de l'année précédente devenaient des un-an. Les nourriciers, qui s'en occupaient depuis leur naissance, les amenaient à l'estrade un à un – ils étaient toujours cinquante par groupe d'âge, à condition qu'aucun n'ait été élargi cette année-là. Certains marchaient déjà sur leurs petites jambes vacillantes ; d'autres, âgés de quelques jours à peine, se trouvaient dans les bras de leurs nourriciers, emmitouflés dans un lange.

– J'aime bien la cérémonie du nom, dit Jonas.

Sa mère approuva d'un sourire.

– L'année où nous avons eu Lily, nous savions, bien sûr, que nous allions recevoir notre enfant féminin puisque nous avions déposé notre demande et qu'elle avait été acceptée. Mais je n'arrêtais pas de me demander quel serait son nom.

– J'aurais pu jeter un petit coup d'œil à la liste avant la cérémonie, confia papa. Le Comité la prépare toujours à l'avance et elle est conservée au Centre nourricier. En fait, poursuivit-il, je me sens un petit peu coupable, mais j'y suis allé ce matin même pour voir si la liste des noms de cette année était déjà prête. Elle était juste là, dans le bureau, et j'ai cherché le numéro trente-six – c'est le petit bonhomme dont l'état de santé m'inquiète – parce que je me suis dit que cela améliorerait peut-être son développement si je pouvais l'appeler par son nom. En privé, bien sûr, quand il n'y aura personne d'autre dans les parages.

– Est-ce que tu l'as trouvé ? demanda Jonas.

Il était fasciné. Ce n'était sans doute pas une loi très importante mais le simple fait que son père ait pu enfreindre le règlement l'impressionnait profondément. Il regarda sa mère à la dérobée, puisque c'était elle qui était chargée de veiller au respect de la loi, et il fut soulagé de constater qu'elle souriait.

Son père acquiesça.

– Il s'appellera – à condition bien sûr qu'il arrive jusqu'à la cérémonie du nom et qu'il ne soit pas élargi avant – Gabriel. C'est ce que je lui chuchote à l'oreille toutes les quatre heures en lui donnant son biberon, et pendant les séances d'exercice physique et de jeux. Quand personne ne peut nous entendre. En fait, je l'appelle Gaby, précisa-t-il, et il sourit.

– Gaby, s'entraîna Jonas. C'est un beau nom, décida-t-il.

Bien que Jonas ne fût qu'un cinq-ans l'année où ils avaient reçu Lily et appris son nom, il se rappelait l'excitation ambiante et les conversations à la maison anticipant son arrivée : de quoi aurait-elle l'air ? Comment serait-elle ? Comment s'intégrerait-elle dans leur cellule familiale ? Il se souvenait d'avoir grimpé les marches de l'estrade avec ses parents, son père à ses côtés pour une fois et non parmi les nourriciers puisqu'il allait lui-même recevoir un enfant.

Il se rappelait comment sa mère avait pris le nouveau-né, c'est-à-dire sa sœur, dans ses bras tandis qu'on lisait le document devant toutes les cellules familiales réunies.

– Nouveau-né numéro vingt-trois, avait lu le nommeur. Lily.

Il se rappelait l'expression de bonheur sur le visage de son père, qui avait murmuré : « C'est une de mes préférées. J'espérais que ce serait elle. » La salle avait applaudi et Jonas avait esquissé un sourire. Il aimait bien le nom de sa sœur. Lily, à moitié endormie, avait agité sa petite main. Puis ils étaient descendus pour laisser la place à la cellule familiale suivante.

– Quand j'étais un onze-ans, dit son père, comme toi, Jonas, je n'en pouvais plus d'attendre la cérémonie des douze-ans. Cela dure deux longs jours. Je me souviens m'être amusé à la cérémonie des un-an, comme toujours, mais je n'ai pas fait très attention aux autres, sauf pour celle de ma sœur. Elle devenait une neuf-ans cette année-là et allait recevoir son vélo. Je lui avais déjà appris à en faire sur le mien, même si théoriquement je n'aurais pas dû.

Jonas rit. C'était une des rares lois à ne pas être prises au sérieux et à être presque toujours transgressées. Les enfants recevaient tous leur vélo à l'âge de neuf ans et n'avaient pas le droit d'en faire avant. Mais la plupart du temps les frères et les sœurs plus âgés apprenaient en cachette aux plus jeunes à se tenir sur une bicyclette. Jonas pensait déjà initier Lily.

On parlait de changer la loi et de donner les vélos plus tôt. Un comité était chargé d'étudier la question. C'était toujours une source de plaisanteries quand un comité se chargeait d'étudier une question. On disait que les membres du comité avaient le temps de devenir des sages avant que la loi ne fût transformée.

Il était très difficile de modifier le règlement. Parfois, s'il s'agissait d'une loi très importante – contrairement à celle concernant l'âge des bicyclettes –, la question finissait par être portée devant le dépositaire afin qu'il tranche. Le dépositaire était le sage le plus important. Jonas, à sa connaissance, ne l'avait jamais vu ; quelqu'un de cette importance vivait et travaillait seul. Mais le comité n'aurait jamais importuné le dépositaire pour une histoire de bicyclettes ; ses membres se contentaient de se quereller sur la question pendant des années jusqu'à ce que les citoyens oublient même que le problème avait été soulevé.

Son père poursuivit.

– Je me suis donc réjoui quand j'ai vu ma sœur, Katya, devenir une neuf-ans, retirer ses rubans et recevoir son vélo. Ensuite, je n'ai pas fait trop attention aux dix-ans et aux onze-ans. Et puis enfin, à la fin du deuxième jour, qui m'a semblé durer des siècles, ç'a été mon tour. La cérémonie des douze-ans.

Jonas frissonna. Il imaginait son père, qui avait dû être un garçon réservé et silencieux puisque c'était un homme réservé et silencieux, assis parmi les camarades de son groupe d'âge, attendant d'être appelé. La cérémonie des douze-ans était la dernière des cérémonies. C'était la plus importante.

– Je me rappelle comme mes parents avaient l'air fiers, et ma sœur aussi ; même si elle aurait aimé être dehors pour essayer sa bicyclette devant tout le monde, elle a arrêté de gigoter et s'est tenue très calme quand ç'a été mon tour. Mais pour être honnête, Jonas, continua son père, il n'y avait pas autant de suspense pour moi qu'il y en a pour toi avec ta cérémonie, parce que j'étais à peu près sûr de ce que serait mon attribution.

Cela surprit Jonas. Il n'y avait vraiment pas moyen de savoir. La sélection était faite en secret par les dirigeants de la communauté, le Comité des sages, qui prenaient leur responsabilité tellement au sérieux qu'ils ne parlaient jamais des attributions, même pour plaisanter.

Sa mère aussi paraissait surprise.

– Comment pouvais-tu en être sûr ? demanda-t-elle.

Son père sourit de son doux sourire.

– Eh bien, j'ai toujours su de manière évidente, et mes parents m'ont avoué plus tard qu'eux aussi le savaient, ce pour quoi j'étais doué. J'ai toujours aimé les nouveau-nés plus que tout. Quand les camarades de mon groupe d'âge faisaient des courses à vélo ou fabriquaient des ponts avec leurs jeux de construction…

– Ce que je fais moi, avec mes amis, remarqua Jonas, et sa mère approuva en silence.

– … je participais aussi, bien entendu, parce que les enfants doivent s'adonner à toutes ces expériences. Et je travaillais dur à l'école, comme toi, Jonas. Mais à chaque fois que j'avais du temps libre, c'est vers les nouveau-nés que j'allais. Je passais presque toutes mes heures de bénévolat au Centre nourricier. Et, bien entendu, les sages le savaient grâce à leurs observations.

Jonas acquiesça. Au cours de cette année, il avait pris conscience d'être observé davantage. Que ce soit à l'école, pendant le temps libre ou pendant les heures de bénévolat, il avait vu les sages les observer, lui et les autres onze-ans. Il les avait vus prendre des notes. Il savait aussi que les sages se réunissaient pendant des heures avec tous les instructeurs qu'ils avaient eus au cours de leurs années d'école.

– Je m'y attendais donc, reprit papa, et j'étais content mais pas du tout surpris quand on a annoncé que je recevais l'attribution de nourricier.

– Est-ce que les gens ont applaudi quand même, demanda Jonas, même si c'était sans surprise ?

– Oh, bien sûr ! Ils étaient contents pour moi puisque mon attribution correspondait à ce que j'aimais le plus. J'avais conscience d'avoir beaucoup de chance.

Son père sourit.

– Est-ce que certains ont été déçus, cette année-là, parmi les onze-ans ? demanda Jonas.

Contrairement à son père, il n'avait pas la moindre idée de ce que serait son attribution. Bien qu'il respectât son travail, nourricier ne lui aurait pas plu. Et il n'enviait pas du tout la situation des travailleurs.

Son père réfléchit.

– Non, je ne pense pas. Les sages mènent leurs observations et leurs sélections avec tant de soin !

– C'est probablement le poste le plus important de notre communauté, remarqua sa mère.

– Mon amie Yoshiko était surprise d'avoir été sélectionnée pour être médecin, mais elle était ravie. Et, voyons, il y avait Andreï, qui ne voulait jamais rien faire de physique quand nous étions petits, je m'en souviens. Il passait tout son temps libre à jouer à des jeux de construction, et ses heures de bénévolat, il les passait sur des chantiers. Les sages savaient tout ça, bien entendu. On lui a attribué le poste d'ingénieur et il était ravi.

– C'est Andreï qui a dessiné le pont qui traverse la rivière à l'ouest, ajouta la mère de Jonas. Ce pont n'y était pas quand nous étions enfants.

– C'est très rare qu'il y ait des déceptions, Jonas. Je ne pense pas que cela doive t'inquiéter, dit son père pour le rassurer. Et s'il y en a, tu sais qu'il existe une procédure d'appel.

Là-dessus, ils se mirent à rire : c'était un comité qui se chargeait d'étudier la question quand quelqu'un faisait appel...

– Je m'inquiète un peu pour l'attribution d'Asher, avoua Jonas. Asher est vraiment sympa. Mais il n'a pas vraiment de centres d'intérêt sérieux. Il s'amuse de tout.

Son père émit un petit gloussement.

– Tu sais, dit-il, je me rappelle quand Asher était un nouveau-né au Centre nourricier, avant qu'il n'ait reçu son nom. Il ne pleurait jamais. Tout le faisait rire. Dans l'équipe, on aimait tous s'occuper d'Asher.

— Les sages connaissent Asher, dit sa mère. Ils lui trouveront exactement l'attribution qui lui convient. Tu ne devrais pas t'inquiéter pour lui. Cela dit, Jonas, je voulais te prévenir d'une chose qui ne t'est peut-être pas venue à l'esprit. Je sais que je n'y avais pas pensé avant la cérémonie des douze-ans.

— De quoi s'agit-il?

— Comme tu le sais, c'est la dernière des cérémonies. Après douze ans, l'âge ne compte plus. La plupart d'entre nous d'ailleurs perdent la notion de leur âge au fur et à mesure que le temps passe, bien qu'il soit inscrit dans la Grande Salle des Registres publics et qu'on puisse aller le consulter là-bas si on le souhaite. Ce qui compte, c'est la préparation à la vie adulte et la formation que tu vas recevoir dans le cadre de ton attribution.

— Je sais, répondit Jonas. Tout le monde sait ça.

— Ce qui veut dire, poursuivit sa mère, que tu vas te retrouver dans un groupe nouveau, et il en ira de même pour tous tes amis. Tu ne passeras plus ton temps avec ton groupe de onze-ans. Après la cérémonie des douze-ans, tu passeras ton temps dans ton groupe d'attribution, avec ceux qui sont en formation. Plus de bénévolat. Plus de temps libre. Par conséquent, tes amis ne seront plus aussi proches de toi.

Jonas secoua la tête.

— Asher et moi nous resterons toujours amis, dit-il d'un ton ferme. Et il y aura encore l'école.

— C'est vrai, reconnut papa. Mais ce que dit ta mère est vrai aussi. Il va y avoir des changements.

— Des changements positifs, d'ailleurs, fit remarquer sa mère. Après ma cérémonie des douze-ans, j'ai regretté les temps libres de mon enfance. Mais quand j'ai commencé ma formation de droit, je me suis retrouvée avec des gens qui partageaient mes intérêts. Je me suis fait des amis différents, des amis de tous les âges.

– Est-ce que tu as continué à jouer après douze ans ? demanda Jonas.

– De temps en temps. Mais ça ne me semblait plus aussi important qu'avant.

– Moi oui, intervint son père en riant. Je continue encore aujourd'hui. Tous les jours, au Centre nourricier, je joue à bateau-ciseaux, à à-dada-sur-mon-bidet et à la-petit-bête-qui-monte-qui-monte…

Il se pencha pour caresser les cheveux courts de Jonas.

– On n'arrête pas de s'amuser parce qu'on devient un douze-ans.

Lily apparut en chemise de nuit dans l'encadrement de la porte. Elle soupira d'impatience.

– C'est une très longue conversation en tête à tête que vous avez. Et il y en a qui attendent leur objet de bien-être.

– Lily, lui dit sa mère avec tendresse, tu seras une huit-ans très bientôt et à huit ans on te reprend ton objet de bien-être. Il sera redonné à un petit enfant. Tu devrais commencer à t'habituer à t'endormir sans.

Mais son père s'était déjà dirigé vers l'étagère et avait pris l'éléphant en peluche qui s'y trouvait. Beaucoup d'objets de bien-être, comme celui de Lily, étaient des créatures imaginaires, douces et rebondies. Celui de Jonas s'appelait un ours.

– Voilà, Lily-Loulette, dit papa. Je vais venir t'aider à retirer tes rubans.

Jonas et sa maman échangèrent un petit regard, mais les suivirent des yeux avec affection tandis que Lily et son père se dirigeaient vers la chambre à coucher de la petite fille, l'éléphant en peluche qu'on lui avait donné à sa naissance sous le bras. Sa mère se rendit à son grand bureau et ouvrit sa mallette ; on aurait dit qu'elle ne s'arrêtait jamais de travailler, même pas le soir à la maison. Jonas aussi alla à son bureau et commença à chercher parmi ses affaires d'école son devoir du soir. Mais son esprit restait préoccupé par le mois de décembre qui approchait et la cérémonie qui allait se dérouler.

Bien que cette discussion avec ses parents l'eût rassuré, il n'avait pas la moindre idée de l'attribution que les sages lui gardaient en réserve, ni de ce qu'il en penserait le jour venu.

3

– Oh ! regarde, s'exclama Lily joyeusement. Comme il est mignon ! Regarde comme il est petit. Et il a de drôles d'yeux, comme toi, Jonas !

Jonas lui lança un regard furieux. Il n'appréciait pas qu'elle ait parlé de ses yeux et espérait que son père la gronderait, mais papa était occupé à détacher le couffin fixé sur le porte-bagages. Jonas s'approcha pour voir.

C'est la première chose qu'il remarqua en regardant le nouveau-né qui jetait des petits coups d'œil curieux autour de lui. Les yeux pâles.

Presque tous les citoyens de la communauté avaient les yeux foncés. Ses parents, Lily, tous les camarades de son groupe d'âge et tous ses amis. Mais il y avait quelques exceptions : Jonas et aussi une cinq-ans qu'il avait repérée parce qu'elle avait ces yeux différents, plus clairs. Personne ne parlait de ce genre de choses ; bien que ce ne fût pas inscrit dans le règlement, on jugeait malpoli d'attirer l'attention sur des aspects dérangeants ou différents chez les individus. Lily ferait bien de se mettre ça dans la tête, pensa-t-il, ou elle risquait de se faire réprimander pour son manque de tact.

Papa rangea sa bicyclette à son emplacement habituel.

Puis il prit le couffin et le porta jusqu'à la maison. Lily les suivit et se retourna pour jeter à Jonas sur un ton taquin : « Peut-être qu'il a eu la même mère porteuse que toi ! »

Jonas haussa les épaules. Il les suivit à l'intérieur. Mais il avait été frappé par les yeux de l'enfant. Les miroirs étaient rares dans la communauté ; ils n'étaient pas interdits, mais on n'en avait pas vraiment besoin et Jonas n'avait tout simplement jamais pris la peine de s'examiner dans une glace, même quand il se trouvait dans un lieu qui en était pourvu. La vue de cet enfant lui rappelait soudain que les yeux pâles n'étaient pas seulement une rareté, mais qu'ils donnaient aussi à celui qui les avait un air − qu'est-ce que c'était, exactement ? Un air profond, décida-t-il ; comme si l'on regardait dans l'eau limpide d'une rivière, jusqu'au fond, là où gisaient peut-être des choses qui n'avaient pas encore été découvertes. Cela le mit mal à l'aise de penser qu'il avait cet air-là lui aussi.

Il se dirigea vers son bureau en faisant semblant de ne pas s'intéresser au nouveau-né. De l'autre côté de la pièce, maman et Lily étaient penchées sur lui tandis que papa le débarrassait du lange qui l'enveloppait.

− Comment s'appelle son objet de bien-être ? demanda Lily en prenant la créature en peluche qui se trouvait dans le couffin à côté du nouveau-né.

Papa jeta un coup d'œil à l'objet.

− Hippo.

Lily pouffa devant ce mot bizarre.

− Hippo, répéta-t-elle en le reposant.

Elle regarda le bébé qui, libéré de sa couverture, agitait les bras.

– Je trouve que les nouveau-nés sont tellement mignons, dit-elle dans un soupir. J'espère qu'on m'attribuera le rôle de mère porteuse.

– Lily !

Le ton de maman était très vif.

– Ne dis pas cela. C'est une attribution très peu honorifique.

– Mais j'en discutais avec Natacha, tu sais, la dix-ans qui habite tout à côté. Elle fait une partie de son bénévolat au Centre des naissances. Et elle m'a dit que les mères porteuses sont très bien nourries, elles font des petits exercices de gymnastique mais la plupart du temps elles jouent et elles s'amusent en attendant. Je pense que j'aimerais ça, rétorqua Lily d'un air maussade.

– Trois ans, reprit maman d'un ton ferme. Trois naissances et c'est tout. Après ça, ce sont des travailleuses pour le reste de leur vie d'adultes, jusqu'à ce qu'elles entrent à la Maison des anciens. C'est ça que tu veux, Lily ? Trois années à ne rien faire et ensuite un travail physique éprouvant jusqu'à la fin de ta vie ?

– Bon, non, d'accord, reconnut Lily à contrecœur.

Papa retourna l'enfant sur le ventre dans son couffin. Il s'assit à côté de lui et se mit à frotter son petit dos en cadence.

– De toute façon, Lily-Loulette, dit-il tendrement, les mères porteuses ne voient jamais de nouveau-nés. Si tu aimes tant les tout-petits, tu devrais plutôt espérer l'attribution de nourricière.

– Quand tu seras une huit-ans et que tu commenceras ton bénévolat, tu peux en faire une partie au Centre nourricier, suggéra maman.

– Je pense que c'est ce que je ferai, dit Lily. (Elle s'age-nouilla près du couffin.) C'est comment, son nom, déjà ? Gabriel ? Coucou, Gabriel, chantonna-t-elle.

Puis elle gloussa.

– Hou là, je crois qu'il dort, je ferais mieux de me taire.

Jonas se mit à ses devoirs. *Pas de risque*, pensa-t-il. Lily ne se taisait jamais. Elle devrait plutôt espérer l'attribution d'annonceuse, comme ça elle pourrait rester assise toute la journée à faire passer des messages au microphone. Il sourit intérieurement à l'idée de sa sœur prenant la voix monotone et le ton important propres, semblait-il, à tous les annonceurs, pour dire des choses comme :

« ATTENTION. CECI EST UN RAPPEL AUX INDI-VIDUS FÉMININS DE MOINS DE NEUF ANS. LES RUBANS DOIVENT ÊTRE ATTACHÉS EN PERMA-NENCE. »

Il se tourna vers Lily et constata avec satisfaction que, comme d'habitude, ses rubans dénoués pendouillaient. Il y aurait certainement un message de ce genre dans peu de temps qui serait adressé principalement à Lily, même si, bien sûr, son nom ne serait pas mentionné. Tout le monde le saurait.

Tout le monde avait su, se souvint-il avec humiliation, que le message : « ATTENTION. CECI EST UN RAPPEL AUX INDIVIDUS MASCULINS DE ONZE ANS QU'IL EST INTERDIT D'EMPORTER LES OBJETS QUI SE TROUVENT DANS LA COUR DE RÉCRÉATION ET QUE LES GOÛTERS SONT FAITS POUR ÊTRE MAN-GÉS ET NON POUR ÊTRE CONSERVÉS » lui était direc-tement adressé le jour où, le mois dernier, il avait rapporté une pomme chez lui. Personne n'en avait parlé, même pas ses parents, parce que le message public avait suffi à générer les remords nécessaires. Jonas avait bien entendu jeté la pomme et s'était excusé auprès du directeur des Loisirs le lendemain matin avant d'entrer en cours.

Jonas repensa à l'incident. Il en était encore abasourdi. Non pas à cause du message ou parce qu'il avait dû présenter ses excuses – c'étaient les mesures habituelles et il les avait méritées – mais à cause de l'incident lui-même. Il aurait sans doute dû parler de sa perplexité ce soir-là quand les membres de sa cellule familiale avaient partagé leurs sentiments de la journée. Mais il n'était pas parvenu à démêler l'origine de sa confusion, ni à trouver les mots pour l'exprimer, si bien qu'il avait laissé tomber.

Cela s'était passé pendant la récréation, alors qu'il jouait avec Asher. Jonas avait pris une pomme dans le panier du goûter et l'avait lancée à son ami, comme ça. Asher la lui avait renvoyée, et ils avaient commencé à jouer à la balle avec.

Ce jeu n'avait rien de particulier et ils s'y étaient déjà livrés un nombre incalculable de fois. Envoyer la balle, rattraper la balle, envoyer la balle, rattraper la balle. C'était sans effort pour Jonas, et même un peu ennuyeux ; Asher, lui, aimait ça et il était tenu d'y jouer régulièrement pour améliorer la coordination de ses mains et de ses yeux qui était en dessous de la norme.

Soudain Jonas, qui suivait du regard la course du fruit dans les airs, avait remarqué qu'il avait… – c'était là l'élément qu'il ne parvenait pas à comprendre –, que la pomme avait changé. L'espace d'un instant. Cela s'était produit à mi-course, se rappelait-il. Puis la pomme s'était retrouvée dans sa main et il l'avait minutieusement inspectée. La même. La même taille. La même forme : une sphère parfaite. La même teinte indéfinissable, comparable à celle de sa tunique.

Cette pomme n'avait absolument rien de remarquable. Il l'avait fait passer plusieurs fois de suite d'une main dans l'autre, puis il l'avait de nouveau lancée à Asher. Et là encore, dans l'air, l'espace d'un instant, elle avait changé.

C'était arrivé quatre fois. Jonas avait cligné des yeux, regardé autour de lui et jeté un coup d'œil oblique à la plaque d'identification attachée à sa tunique pour vérifier l'état de sa vision. Il pouvait lire son nom sans problème. Il pouvait aussi voir Asher sans problème, à l'autre bout de la cour. Et il n'avait eu aucun mal à rattraper la pomme.

Jonas était resté bouche bée.

– Ash ? avait-il crié. Tu ne trouves pas qu'elle a quelque chose de bizarre, cette pomme ?

– Si, avait répondu Asher en riant. Elle n'arrête pas de me sauter des mains.

Il venait encore de la faire tomber.

Alors Jonas avait ri lui aussi, et par ce rire avait essayé d'ignorer ce dont il était certain et qui le mettait mal à l'aise : que quelque chose s'était vraiment produit. Mais il avait emporté la pomme chez lui, ce qui allait à l'encontre du règlement. Ce soir-là, avant que ses parents et sa sœur ne rentrent, il l'avait tenue dans ses mains et l'avait regardée attentivement. Elle était un peu abîmée maintenant, parce que Asher l'avait fait tomber plusieurs fois, mais cette pomme n'avait absolument rien de spécial.

Il l'avait examinée à la loupe. Il l'avait lancée plusieurs fois à travers la chambre et il l'avait fait rouler sur son bureau, en espérant que la chose se reproduirait.

Mais elle ne s'était pas reproduite. Tout ce qui s'était produit, ce soir-là, c'était le message au haut-parleur, le message qui s'adressait à lui sans prononcer son nom et à la suite duquel ses deux parents avaient jeté un regard lourd de sens à la pomme qui se trouvait toujours sur son bureau.

Assis devant ses devoirs tandis que sa famille était penchée sur l'enfant dans son couffin, Jonas secoua la tête pour se débarrasser de cet étrange souvenir. Il se força à ranger ses cours et à travailler un peu avant le repas du soir. Gabriel, le nouveau-né, s'agitait et pleurnichait, et papa expliquait à voix basse à Lily comment le nourrir tout en déballant les biberons et le lait en poudre.

La soirée se déroula comme toutes les soirées de la cellule familiale, de l'habitation, de la communauté. Un moment de calme et de réflexion, de renouveau et de préparation pour le jour à venir. À une différence près : l'arrivée du nouveau-né aux yeux pâles, graves et emplis de ce mystérieux savoir.

4

Jonas pédalait lentement en jetant un coup d'œil aux bicyclettes garées près des bâtiments pour voir s'il repérait celle d'Asher. Il passait rarement ses heures de bénévolat en compagnie de son ami parce que Asher avait tendance à faire le pitre, ce qui rendait tout travail sérieux un peu difficile. Mais maintenant que ses douze ans approchaient à vive allure et que le bénévolat allait se terminer, cela ne semblait plus avoir d'importance.

Pouvoir librement choisir où passer ces heures avait toujours paru à Jonas un luxe délicieux ; les autres heures de la journée étaient réglées avec tant de minutie.

Il se rappelait l'époque où il était devenu un huit-ans, comme Lily bientôt, et où il s'était retrouvé confronté à cette liberté. Les huit-ans abordaient toujours leurs premières heures de bénévolat un peu nerveusement, en riant et en se poussant du coude. Ils passaient presque toujours leur temps dans la cour de récréation, un endroit où ils se sentaient à l'aise, pour surveiller les plus jeunes. Peu à peu ils acquéraient maturité et confiance en eux et, bien conseillés, s'orientaient vers d'autres tâches, plus proches de leurs centres d'intérêt et de leurs aptitudes.

Un onze-ans du nom de Benjamin avait passé l'intégralité de ses quatre années de bénévolat au Centre de soins à s'occuper des citoyens qui avaient été blessés. On disait qu'il en savait autant maintenant que les directeurs du Centre, et qu'il avait même mis au point des machines et des méthodes pour accélérer la guérison des patients. Personne ne doutait qu'on lui attribuerait un poste dans ce secteur et qu'on le dispenserait probablement d'une grande partie de la formation.

Jonas était impressionné par ce que Benjamin avait accompli. Il le connaissait, bien sûr, puisqu'ils faisaient partie du même groupe d'âge, mais ils n'avaient jamais évoqué ensemble les hauts faits du garçon car une telle discussion eût mis Benjamin mal à l'aise. Il n'y avait pas moyen de parler de sa réussite sans enfreindre la loi qui interdisait de se vanter, même si l'on n'en avait pas l'intention. C'était une loi secondaire, un peu comme celle sur l'impolitesse, qui n'entraînait qu'une petite réprimande si on ne la respectait pas. Mais tout de même. Mieux valait ne pas se mettre dans une situation régie par une loi si facile à transgresser.

La zone résidentielle dans le dos, Jonas pédala parmi les structures communautaires, espérant localiser la bicyclette d'Asher près d'une des petites usines ou d'un bureau. Il dépassa le Centre des enfants où Lily se rendait tous les jours après l'école et les terrains de jeux qui l'entouraient. Il traversa la place Centrale et le grand Auditorium où avaient lieu les réunions publiques.

Jonas ralentit et vérifia les plaques d'identification des vélos garés à l'extérieur du Centre nourricier. Puis il examina ceux qui étaient près du Centre de distribution des aliments ; c'était amusant d'aider aux livraisons, et il aurait aimé que son ami y soit car ils auraient pu faire ensemble la tournée quotidienne et porter les cartons de provisions dans les habitations de la communauté. Mais il finit par trouver le vélo d'Asher – incliné, comme d'habitude, et non pas vertical comme il aurait dû l'être – près de la Maison des anciens.

Il n'y avait qu'un autre vélo d'enfant garé là, celui d'une onze-ans nommée Fiona. Jonas aimait bien Fiona. C'était une bonne élève, calme et polie, mais qui savait s'amuser aussi, et cela ne le surprit pas de voir qu'elle travaillait aujourd'hui avec Asher. Il rangea soigneusement son vélo à côté des leurs et entra dans l'immeuble.

– Bonjour Jonas, dit la préposée à l'entrée.

Elle lui tendit la feuille de présence, qu'il remplit, et apposa son tampon officiel à côté de la signature du garçon. Toutes ses heures de bénévolat seraient minutieusement comptabilisées dans la Grande Salle des Registres publics. Parmi les enfants, on racontait qu'une fois, il y a longtemps, un onze-ans s'était entendu dire à la cérémonie des douze-ans qu'il n'avait pas effectué le nombre réglementaire d'heures et qu'on ne pouvait pas, par conséquent, lui donner son attribution. On lui avait accordé un mois supplémentaire pour terminer ses heures puis il avait reçu son attribution en privé, sans célébration, sans applaudissements ; cette infamie avait définitivement assombri son avenir.

– On est contents de voir des bénévoles, aujourd'hui, dit la préposée. Nous avons célébré un élargissement ce matin, ça nous décale toujours un peu dans notre programme et les choses s'accumulent.

Elle consulta une feuille imprimée.

– Voyons, Asher et Fiona donnent un coup de main dans la salle de bains. Et si tu les rejoignais ? Tu sais où c'est, non ?

Jonas acquiesça, la remercia et s'engagea dans le long couloir.

Il jeta au passage un coup d'œil dans les chambres qui se trouvaient des deux côtés. Les anciens étaient assis ; certains discutaient entre eux, d'autres se livraient à des travaux manuels. Quelques-uns dormaient. Chaque pièce était confortablement meublée, le sol recouvert d'une épaisse moquette. C'était un endroit calme et serein, contrairement aux Centres de fabrication et de distribution où le travail quotidien de la communauté se déroulait dans une atmosphère affairée.

Jonas était content d'avoir, au fil des années, accompli ses heures de bénévolat dans des endroits divers car cela lui avait permis de comparer les expériences. Toutefois, le fait de ne pas s'être concentré sur un domaine impliquait aussi, il s'en rendait compte, qu'il n'avait pas la moindre idée – pas même un indice – de ce que serait son attribution.

Il rit doucement. *Tu penses encore à la cérémonie, Jonas ?* se demanda-t-il. Quoiqu'il se doutât qu'avec la date de la cérémonie si proche maintenant, tous ses amis devaient en faire autant.

Il rencontra un soignant qui marchait dans le couloir avec une ancienne.

– Bonjour Jonas, dit le jeune homme en uniforme en lui souriant d'un air aimable.

La femme dont il tenait le bras avançait toute courbée en traînant les pieds dans ses chaussons. Elle regarda dans la direction de Jonas et sourit, mais ses yeux sombres étaient voilés et sans expression. Il comprit qu'elle était aveugle.

Il entra dans la salle de bains ; l'air était chaud et humide et imprégné de l'odeur des produits de toilette. Il ôta sa tunique, l'accrocha au portemanteau avec soin, et revêtit la blouse de bénévole qui était rangée sur une étagère.

– Salut Jonas, lança Asher depuis le coin où il se trouvait, agenouillé près d'une baignoire. Jonas aperçut Fiona à côté, près d'une autre baignoire. Elle leva la tête et lui sourit, mais elle était occupée à savonner doucement un homme allongé dans l'eau chaude.

Jonas les salua, ainsi que les aides-soignants présents. Puis il se dirigea vers la rangée de chaises longues matelassées où d'autres anciens attendaient. Il avait déjà travaillé là ; il savait ce qu'il devait faire.

– C'est ton tour, Larissa, dit-il après avoir lu la plaque d'identification cousue sur le peignoir de la femme. Je fais couler l'eau et je viens t'aider.

Il appuya sur le bouton de la baignoire vide la plus proche et la regarda se remplir d'eau chaude par les nombreux orifices situés sur les bords. Dans une minute, la baignoire serait pleine et l'arrivée d'eau s'arrêterait automatiquement.

Il aida la femme à se lever, l'amena jusqu'à la baignoire, défit son peignoir et lui tint le bras tandis qu'elle entrait dans l'eau et s'asseyait. Elle s'adossa et émit un soupir de bien-être, la tête calée sur l'appuie-tête rembourré.

– Tu es bien ? demanda-t-il, et elle fit signe que oui, les yeux fermés.

Jonas versa du produit moussant sur l'éponge propre qui se trouvait sur le rebord de la baignoire et commença à savonner son corps frêle.

La veille, il avait regardé son père donner un bain au nouveau-né. C'était à peu près la même chose : la peau délicate, l'eau bienfaisante, le lent mouvement de la main toute glissante de savon. Le sourire paisible et détendu de la femme lui rappelait le bain donné à Gabriel.

La nudité, aussi. Le règlement interdisait aux enfants et aux adultes de regarder la nudité des autres ; mais cette loi ne s'appliquait ni aux nouveau-nés ni aux anciens. Jonas en était content. C'était embêtant de devoir se couvrir quand on se changeait pour aller faire du sport, et les excuses que l'on devait fournir si l'on avait par inadvertance posé son regard sur le corps de l'autre mettaient toujours dans l'embarras. Il ne voyait pas en quoi c'était nécessaire. Il aimait le sentiment de sécurité qui régnait dans cette pièce chaude et tranquille ; il aimait l'expression de confiance qu'il voyait sur le visage de la femme qui reposait dans l'eau, dénudée, exposée aux regards et libre.

Du coin de l'œil, il vit Fiona aider le vieil homme à sortir du bain et essuyer délicatement son corps mince et nu avec un tissu absorbant. Elle lui passa son peignoir.

Jonas pensait que Larissa s'était endormie, comme font souvent les anciens, et il faisait attention à ce que ses mouvements soient bien doux et réguliers afin de ne pas la réveiller. Il fut surpris de l'entendre parler, les yeux toujours fermés.

– Ce matin nous avons célébré l'élargissement de Roberto, lui dit-elle. C'était formidable.

— Je connais Roberto ! répondit Jonas. Je l'ai aidé à manger la dernière fois que je suis venu, il y a juste quelques semaines. C'est un homme très intéressant.

Larissa ouvrit les yeux d'un air joyeux.

— Ils ont raconté l'histoire de toute sa vie avant de l'élargir, reprit-elle. Ils le font toujours. Mais pour être honnête, chuchota-t-elle d'un air malicieux, c'est parfois un peu ennuyeux. J'ai même vu des anciens s'endormir pendant leur récit... quand on a élargi Edna, il n'y a pas longtemps. Tu connaissais Edna ?

Jonas secoua la tête. Il ne se rappelait personne de ce nom.

— Bon, ils ont essayé de donner un sens à sa vie. Et bien sûr, ajouta Larissa d'un ton sage, toutes les vies ont un sens. Je ne veux pas dire qu'elles n'en ont pas. Mais Edna, tout de même ! C'était une mère porteuse, qui a travaillé ensuite au Centre de production des aliments pendant des années, jusqu'à ce qu'elle arrive ici. Elle n'a même pas eu de cellule familiale.

Larissa leva la tête et jeta un regard à la ronde pour s'assurer que personne d'autre n'écoutait. Puis elle avoua :

— Je ne pense pas qu'Edna était très futée.

Jonas rit.

Il rinça son bras gauche, le replaça dans l'eau et commença à lui savonner les pieds. Elle murmura de plaisir quand il lui massa la plante avec son éponge.

— Mais la vie de Roberto était formidable, reprit Larissa après un moment. Il a été instructeur des onze-ans — tu sais combien c'est important — et il a fait partie du Bureau de planification. Et — miséricorde ! je ne sais pas

comment il trouvait le temps de tout faire ! – il a aussi
élevé deux enfants qui réussissent très bien. Et c'est
encore lui qui a dessiné les aménagements de la place
Centrale. Il n'a pas participé aux travaux, bien sûr.

– Ton dos, maintenant. Penche-toi et je vais t'aider à
te redresser.

Jonas passa son bras autour d'elle et la soutint tandis
qu'elle s'asseyait. Il essora l'éponge sur son dos et se mit
à frotter ses épaules anguleuses.

– Parle-moi de la cérémonie.

– Eh bien, il y a eu le récit de sa vie. On commence
toujours par ça. Puis un toast. On a levé nos verres et
on a applaudi. On a chanté l'hymne. Il a prononcé un
délicieux discours d'adieu. Et plusieurs d'entre nous ont
fait des petits discours pour lui souhaiter plein de bonnes
choses. Mais pas moi. Je n'ai jamais aimé parler en
public. Il était ravi. Tu aurais dû voir son air quand il est
parti !

Jonas ralentit pensivement le mouvement de sa main
sur le dos de l'ancienne.

– Larissa, demanda-t-il, qu'est-ce qu'il se passe au
moment de l'élargissement à proprement parler ? Où est-
il parti exactement ?

Larissa haussa vaguement ses épaules nues et mouillées.

– Je ne sais pas. Je crois que personne ne le sait, à part
le Comité. Il nous a tous salués et puis il est parti, comme
ils le font tous, par la porte spéciale de la chambre d'élargissement. Mais tu aurais dû voir son air. Je dirais que
c'était le bonheur à l'état pur.

Jonas sourit.

– J'aurais bien aimé voir ça.

Larissa fronça les sourcils.

– Je ne sais pas pourquoi les enfants ne peuvent pas y assister. Pas assez de place, probablement. Ils devraient agrandir la chambre d'élargissement.

– Il faudra suggérer ça au Comité. Peut-être qu'ils étudieront la question, dit Jonas d'un ton espiègle.

Larissa fit entendre un petit gloussement.

– C'est ça ! s'esclaffa-t-elle.

Et Jonas l'aida à sortir du bain.

5

D'habitude, Jonas ne participait guère au rituel matinal qui consistait à raconter ses rêves en famille. Il rêvait peu. Il se réveillait parfois avec l'impression que des bribes de sommeil flottaient encore mais il ne parvenait pas à les rassembler en quelque chose qui eût valu la peine d'être raconté lors du rituel.

Mais ce matin, c'était différent. Il avait fait un rêve très frappant cette nuit-là.

Son esprit se mit à errer tandis que Lily, comme d'habitude, racontait un long rêve, un rêve effrayant cette fois-ci dans lequel elle avait pris le vélo de sa mère en infraction au règlement et où elle s'était fait attraper par les gardiens de l'ordre.

Ses parents écoutèrent attentivement et discutèrent avec Lily de l'avertissement que ce rêve lui avait envoyé.

– Merci pour ton rêve, Lily.

Jonas prononça l'expression consacrée sans réfléchir et s'efforça de prêter meilleure attention tandis que sa mère racontait un fragment de rêve, une scène troublante dans laquelle on l'avait punie pour une violation de loi qu'elle ne comprenait pas. Ils convinrent que cela venait sans doute de ce qu'elle avait ressenti quand elle avait puni à contrecœur le citoyen qui venait d'enfreindre les lois principales pour la seconde fois.

Papa déclara qu'il n'avait pas fait de rêves.

— Gaby ? demanda papa en se penchant vers le couffin dans lequel le nouveau-né, qui venait de prendre son biberon, gazouillait, prêt à être ramené au Centre nourricier pour la journée.

Ils rirent tous. On ne racontait ses rêves qu'à partir de l'âge de trois ans. Et si les nouveau-nés faisaient des rêves, personne n'en savait rien.

— Jonas ? demanda maman.

On lui posait toujours la question, même si tout le monde savait qu'il était très rare que Jonas eût un rêve à raconter.

— Pour une fois, j'ai rêvé cette nuit, répondit Jonas.

Il s'agita sur sa chaise, le front plissé.

— Bien, dit papa. Raconte-nous ça.

— Je ne me rappelle pas bien les détails, expliqua Jonas, qui cherchait à recréer le rêve étrange dans son esprit. Je pense que je me trouvais dans la salle de bains de la Maison des anciens.

— C'est là que tu étais hier, fit remarquer papa.

Jonas acquiesça.

— Mais ce n'était pas tout à fait pareil. Il y avait une baignoire dans le rêve. Mais une seule. Alors qu'en vrai la salle de bains en a des rangées et des rangées. La pièce dans le rêve était chaude et moite. Et j'avais ôté ma tunique mais je n'avais pas mis de blouse, j'étais torse nu. Je transpirais à cause de la chaleur. Et Fiona était là, comme hier.

— Asher aussi ? demanda maman.

Jonas secoua la tête.

– Non. Il n'y avait que Fiona et moi, seuls dans la pièce, à côté de la baignoire. Elle riait. Mais pas moi. J'étais presque un peu fâché contre elle dans le rêve parce qu'elle ne me prenait pas au sérieux.

– À propos de quoi ? demanda Lily.

Jonas baissa les yeux sur son assiette. Pour une raison qui lui échappait, il se sentait un peu gêné.

– Je pense que j'essayais de la convaincre d'entrer dans la baignoire.

Il marqua un temps. Il savait qu'il devait tout raconter, que c'était non seulement normal mais nécessaire de raconter tout le rêve. Il se força à parler de la partie qui le mettait mal à l'aise.

– Je voulais qu'elle enlève ses habits et qu'elle entre dans la baignoire, dit-il rapidement. Je voulais lui donner un bain. J'avais l'éponge à la main. Mais elle ne voulait pas. Elle riait et elle disait non.

Il leva les yeux sur ses parents.

– C'est tout, dit-il.

– Peux-tu décrire le sentiment le plus fort de ton rêve, mon garçon ? demanda papa.

Jonas réfléchit. Les détails étaient troubles et vagues. Mais les sentiments étaient clairs et ils le submergèrent de nouveau quand il y repensa.

– L'envie, dit-il. Je savais qu'elle ne le ferait pas. Et je crois que je savais qu'elle ne devait pas le faire. Mais j'en avais tellement envie. Je pouvais sentir cette envie dans tout mon corps.

– Merci pour ton rêve, Jonas, dit maman après un instant.

Elle lança un regard à papa.

– Lily, dit papa, il est l'heure d'aller à l'école. Est-ce que tu pourrais m'accompagner ce matin et surveiller le couffin du nouveau-né ? Nous devons faire bien attention à ce qu'il ne se détache pas à force de gigoter.

Jonas fit mine de se lever pour aller chercher ses livres. Il trouvait surprenant qu'on n'eût pas discuté de son rêve en détail avant de le remercier. Peut-être le trouvaient-ils aussi déroutant que lui.

– Attends, Jonas, dit maman doucement. J'écrirai un mot d'excuse à ton instructeur pour que tu n'aies pas à expliquer ton retard.

Jonas retomba sur sa chaise, perplexe. Il fit un signe de la main à papa et à Lily, qui quittaient l'habitation en portant Gabriel dans son couffin. Il regarda maman qui débarrassait les restes du repas du matin et plaçait le plateau près de la porte d'entrée à l'intention de l'équipe de ramassage.

Finalement elle se rassit à table auprès de lui.

– Jonas, dit-elle avec un sourire, ce sentiment que tu as décrit comme une envie ? C'était tes premières stimulations. On s'attendait, ton père et moi, à ce que cela t'arrive. Cela arrive à tout le monde. C'est arrivé à papa quand il avait ton âge. Et cela m'est arrivé. Cela arrivera un jour à Lily. Et très souvent, ajouta maman, cela commence par un rêve.

Les stimulations. Il avait déjà entendu ce mot. Il se souvint qu'il était question des stimulations dans le livre des Lois, bien qu'il ne se rappelât pas ce qu'il y était dit. Et de temps à autre l'annonceur y faisait allusion :

« ATTENTION. CECI EST UN RAPPEL. LES STIMU-

LATIONS DOIVENT ÊTRE SIGNALÉES AFIN QUE LE TRAITEMENT PUISSE AVOIR LIEU. »

Il n'avait jamais tenu compte de ce message parce qu'il ne le comprenait pas et qu'il ne semblait s'appliquer à lui d'aucune manière. Il y avait beaucoup d'ordres et de rappels lus par l'annonceur dont, comme la plupart des citoyens, il ne tenait pas compte.

— Est-ce que je dois les signaler ? demanda-t-il à sa mère.

Elle rit.

— Tu viens de le faire en racontant ton rêve. C'est suffisant.

— Et le traitement, alors ? L'annonceur dit qu'un traitement doit avoir lieu.

Jonas était accablé. Est-ce qu'il allait devoir, juste au moment de la cérémonie, de sa cérémonie des douze-ans, partir quelque part pour suivre ce traitement ? Tout ça à cause d'un rêve idiot ?

Mais sa mère rit de nouveau, d'un rire rassurant et affectueux.

— Non, non, dit-elle. Ce n'est que la pilule. Tu es prêt pour la pilule, c'est tout. C'est ça le traitement pour les stimulations.

Le visage de Jonas s'éclaira. Il connaissait la pilule. Ses parents la prenaient tous les deux chaque matin. Et aussi certains de ses amis. Une fois, ils partaient pour l'école à vélo avec Asher quand le père d'Asher l'avait rappelé du pas de la porte : « Asher, tu as oublié ta pilule. » Asher avait rouspété pour la forme, avait fait demi-tour, puis était revenu rejoindre Jonas qui l'attendait.

C'était le genre de choses sur lesquelles on ne posait

pas de questions à un ami parce qu'elles risquaient de tomber dans cette catégorie inconfortable de « ce qui était différent ». Asher prenait une pilule tous les matins ; Jonas non. Il valait toujours mieux – et on risquait moins d'être impoli – ne parler que de ce qui était semblable.

Jonas avala le petit cachet que sa mère lui tendait.

– C'est tout ? demanda-t-il.

– C'est tout, répondit-elle en remettant la bouteille à sa place dans le placard. Mais il ne faut pas oublier. Je t'y ferai penser pendant les premiers temps, mais ensuite tu devras y penser tout seul. Si tu oublies, les stimulations reviendront. Parfois il faut ajuster le dosage.

– Asher la prend, déclara-t-il.

Sa mère hocha la tête sans exprimer de surprise.

– Beaucoup de camarades de ton groupe d'âge doivent sans doute la prendre. Les garçons, en tout cas. Bientôt tout le monde la prendra. Les filles aussi.

– Pendant combien de temps est-ce que je devrai la prendre ?

– Jusqu'à ce que tu entres à la Maison des anciens, expliqua-t-elle. Pendant toute ta vie d'adulte. Mais ça devient une routine ; au bout d'un moment tu n'y feras même plus attention.

Elle regarda sa montre.

– Si tu pars tout de suite, tu ne seras même pas en retard pour l'école. Dépêche-toi. Et merci encore pour ton rêve, Jonas, ajouta-t-elle tandis qu'il se dirigeait vers la porte.

Tout en pédalant rapidement sur le chemin, Jonas se sentit étrangement fier d'avoir rejoint le groupe de ceux qui prenaient la pilule. Pourtant, l'espace d'un instant, il se souvint de son rêve. C'était très agréable. Bien que ce fût un peu vague, il lui semblait avoir aimé la sensation que sa mère avait appelée « stimulation ». Il se rappela qu'à son réveil il avait souhaité éprouver les stimulations de nouveau.

Et puis, tout comme son habitation disparut derrière lui tandis qu'il prenait un virage à bicyclette, le rêve s'évanouit. Un bref instant, avec un vague sentiment de culpabilité, il essaya de s'y raccrocher. Mais la sensation n'était plus là. Les stimulations avaient disparu.

6

— Lily, tiens-toi tranquille s'il te plaît, répéta maman.
Lily, debout devant elle, s'agitait.

— Je peux les attacher moi-même, dit-elle impatiem-
ment. Je le fais toujours.

— Je sais, répondit maman en réajustant les rubans sur
les nattes de la petite fille. Mais je sais aussi qu'ils se défont
constamment et que la plupart du temps ils pendouillent
dans ton dos à partir du début de l'après-midi. Aujourd'hui,
au moins, qu'ils soient bien attachés et qu'ils le restent
toute la journée !

— Je n'aime pas les rubans. Je suis bien contente de
n'avoir plus qu'un an à les porter, ronchonna Lily. Et l'année prochaine, j'aurai mon vélo aussi, ajouta-t-elle sur un
ton plus joyeux.

— Il y a des bonnes choses chaque année, lui rappela
Jonas. Cette année tu vas commencer tes heures de bénévolat. Et tu te souviens l'an dernier, quand tu es devenue
une sept-ans, comme tu étais contente de recevoir la veste
qui se ferme par-devant ?

La petite fille hocha la tête et regarda sa veste, avec ses
rangées de gros boutons, qui faisait d'elle une sept-ans. Les
quatre, cinq et six-ans portaient tous des vestes fermant

dans le dos de façon à devoir s'entraider pour s'habiller et à apprendre ainsi l'interdépendance.

La veste boutonnée par-devant était le premier signe d'indépendance, le premier symbole bien visible du fait de devenir un grand. À neuf ans, la bicyclette serait un autre emblème important signifiant qu'on devenait partie intégrante de la communauté et qu'on s'éloignait progressivement du cocon de la cellule familiale.

Lily sourit et se dégagea des mains de sa mère.

— Et cette année tu vas recevoir ton attribution, dit-elle à Jonas d'un ton excité. J'espère que tu seras pilote. Et que tu m'emmèneras voler !

— Sûrement, dit Jonas. Et j'aurai un petit parachute spécial juste à ta taille, et je t'emmènerai à, disons, sept cents mètres d'altitude, et j'ouvrirai la porte, et...

— Jonas, l'avertit maman.

— Je plaisantais, soupira Jonas. Je ne veux pas être pilote, de toute façon. Si on me donne l'attribution de pilote, je ferai appel.

— Allez, dit maman.

Elle s'assura une dernière fois que les rubans de Lily tenaient bien.

— Jonas, est-ce que tu es prêt ? As-tu pris ta pilule ? Je veux être bien placée à l'Auditorium.

Elle poussa Lily vers la porte et Jonas les suivit.

L'Auditorium n'était pas loin à vélo. Lily, assise sur le siège accroché au porte-bagages de maman, faisait des signes à ses amis. À l'arrivée, Jonas rangea son vélo à côté de celui de maman et se fraya un chemin à travers la foule en cherchant à retrouver les camarades de son groupe.

La communauté entière assistait à la cérémonie chaque année.

Pour les parents, c'étaient deux jours de vacances ; ils étaient assis tous ensemble dans la salle immense. Les enfants étaient assis par groupes d'âge et se rendaient un par un à l'estrade.

Papa, lui, ne rejoindrait pas tout de suite maman dans le public. Lors de la première cérémonie, celle du nom, les nourriciers amenaient les nouveau-nés sur l'estrade. Jonas, depuis sa place au balcon avec les autres onze-ans, balaya l'Auditorium du regard pour essayer d'apercevoir papa. Ce n'était pas difficile du tout de repérer sa section, qui se trouvait devant la scène ; on entendait les vagissements et les braillements des nouveau-nés qui se tortillaient sur les genoux des nourriciers. Pendant toutes les autres cérémonies, le public était silencieux et attentif. Mais une fois par an, ils souriaient tous avec indulgence devant le raffut que faisaient les petits en attente d'un nom et d'une famille.

Jonas finit par attirer le regard de son père et lui fit signe de la main. Papa sourit et lui rendit son signe, puis il tint la main du nouveau-né assis sur ses genoux pour qu'il fasse signe, lui aussi.

Ce n'était pas Gabriel. Gaby était au Centre nourricier aujourd'hui, où l'équipe de nuit s'occupait de lui. Le Comité lui avait fait grâce d'un sursis exceptionnel, lui accordant une année supplémentaire de soins avant d'être nommé et placé. Papa était intervenu auprès du Comité en faveur de Gabriel, qui n'avait pas encore atteint le poids normal pour son âge ni commencé à faire des nuits suffisamment longues pour qu'il puisse être placé dans une cellule familiale. D'ordinaire, un nouveau-né comme lui aurait été qualifié d'« inadapté » et élargi par la communauté.

Au lieu de cela, suite à l'intervention de papa, Gabriel avait été qualifié d'« incertain » et on lui avait accordé une année de plus. Chaque membre de la famille, y compris Lily, avait dû signer un document dans lequel il s'engageait à ne pas s'attacher à ce petit visiteur et à le laisser partir sans protester ni faire appel quand on lui attribuerait sa propre cellule familiale, lors de la prochaine cérémonie.

Au moins, songea Jonas, une fois Gabriel placé, ils pourraient continuer à le voir parce qu'il ferait partie de la communauté. S'il était élargi, ils ne le reverraient plus. Plus jamais. Ceux qui étaient élargis – même les nouveau-nés – étaient envoyés Ailleurs et ils ne revenaient jamais dans la communauté.

Papa n'avait eu à élargir aucun nouveau-né cette année et Gabriel aurait donc représenté un véritable échec, une vraie déception. Même Jonas, qui pourtant ne passait pas autant de temps que son père ou que Lily penché sur le berceau du petit, était content que Gaby n'ait pas été élargi.

La première cérémonie commença juste à l'heure et Jonas vit les nouveau-nés recevoir leur nom, l'un après l'autre, et passer des mains des nourriciers à leur nouvelle cellule familiale. Pour certains, c'était un premier enfant. Mais beaucoup de conjoints se rendaient à l'estrade accompagnés d'un autre enfant rayonnant de fierté à l'idée de recevoir un petit frère ou une petite sœur, tout comme Jonas le jour où il était devenu un cinq-ans.

Asher lui donna un coup de coude.

— Tu te rappelles quand on a reçu Philippa ? demanda-t-il d'une voix qu'il cherchait vainement à assourdir.

Jonas acquiesça. Ce n'était que l'an dernier. Les parents d'Asher avaient attendu un bon moment avant de demander un deuxième enfant. Jonas soupçonnait qu'ils avaient été tellement épuisés par la vitalité débordante d'Asher qu'ils avaient eu besoin d'un peu de temps pour récupérer.

Deux camarades de leur groupe, Fiona et une autre fille du nom de Théa, étaient temporairement absentes, attendant avec leurs parents de recevoir un nouveau-né. Mais c'était rare qu'il y eut une telle différence d'âge entre les enfants d'une même cellule familiale.

Quand le rituel qui la concernait fut terminé, Fiona vint s'asseoir à la place qui lui était réservée dans la rangée située devant Asher et Jonas. Elle se retourna et murmura :

– Il est mignon. Mais son nom ne me plaît pas tellement.

Elle fit la grimace et rit. Le nouveau frère de Fiona avait été nommé Bruno. *Ce n'était pas un nom super,* pensa Jonas, *pas comme… eh bien, comme Gabriel, par exemple. Mais ça allait.*

Les applaudissements du public, enthousiaste à chaque fois qu'un nouveau-né recevait son nom, s'amplifièrent démesurément quand un couple parental rayonnant de fierté reçut un nouveau-né masculin du nom de Caleb.

Ce nouveau Caleb était un enfant de remplacement. Le couple avait perdu son premier Caleb, un charmant quatre-ans. La perte d'un enfant était très, très rare. La communauté était un lieu extrêmement sûr car chaque enfant était surveillé et protégé par l'ensemble des citoyens. Pourtant, le petit Caleb était parvenu à s'éloigner sans qu'on le remarquât et il était tombé dans la rivière. La communauté entière s'était réunie pour célébrer la cérémonie de la perte, murmurant le nom de Caleb pendant toute une journée, de moins en moins fréquemment, de plus en plus doucement au fur et à mesure que ce long jour lugubre s'écoulait, si bien que le petit quatre-ans semblait s'être évanoui progressivement de la conscience collective.

Aujourd'hui, pour cette occasion particulière, la communauté accomplit la courte cérémonie du murmure-de-remplacement, prononçant le nom pour la première fois depuis la perte ; d'abord lentement et à voix basse, puis plus vite et plus fort, tandis que le couple se tenait sur l'estrade, l'enfant endormi dans les bras de sa mère. Ce fut comme si le premier Caleb revenait.

Un autre nouveau-né reçut le nom de Roberto, et Jonas se souvint que Roberto l'ancien venait d'être élargi la semaine précédente. Mais il n'y eut pas de cérémonie du murmure-de-remplacement pour le nouveau petit Roberto. L'élargissement n'était pas la même chose que la perte.

Il assista poliment aux cérémonies des deux, trois et quatre-ans, s'ennuyant toujours chaque fois un peu plus. Puis, après une pause pour le déjeuner, servi dehors, ils reprirent leurs sièges pour les cinq, six et sept-ans, et enfin, pour la dernière des cérémonies du premier jour, celle des huit-ans.

Jonas applaudit quand Lily s'avança fièrement vers l'estrade, devint une huit-ans et reçut la veste d'identification qu'elle porterait cette année ; celle-ci avait des boutons plus petits et pour la première fois des poches, signe qu'elle était maintenant assez mûre pour surveiller elle-même ses petites affaires. Elle écouta d'un air solennel la liste de consignes strictes concernant les responsabilités des huit-ans et le début du bénévolat. Mais Jonas voyait que Lily, bien qu'elle semblât attentive, regardait avec envie la rangée de bicyclettes flambant neuves qui seraient distribuées aux neuf-ans le lendemain.

L'année prochaine, Lily-Loulette, pensa Jonas.

Ce fut une journée épuisante, et même Gabriel, ramené du Centre nourricier dans son couffin, dormit profondément cette nuit-là.

Enfin le jour de la cérémonie des douze-ans arriva.

Aujourd'hui, papa était assis près de maman, dans le public. Jonas les vit applaudir consciencieusement les neuf-ans qui, un à un, quittaient la scène en poussant leur bicyclette neuve ornée chacune d'une plaque d'identification rutilante à l'arrière. Il savait qu'ils durent se crisper un peu, comme lui d'ailleurs, en voyant Fritz, qui vivait dans l'habitation d'à côté, recevoir son vélo et se cogner presque aussitôt avec dans l'estrade. Fritz était un enfant très maladroit qui accumulait réprimande sur réprimande. C'était toujours pour des petites fautes : ses chaussures qui étaient à l'envers, ses devoirs qui n'étaient pas rangés ou une interrogation qui était mal préparée. Mais chaque faute de ce type renvoyait une image négative de l'éducation que lui donnaient ses parents et empiétait sur le sens de l'ordre et de la réussite qui régnait dans la communauté. Jonas et sa famille ne se réjouissaient pas à l'idée que Fritz eût sa bicyclette, qui serait sans doute trop souvent abandonnée dans l'allée plutôt que bien rangée à sa place.

Les neuf-ans finirent tous par se rasseoir après avoir

rangé à l'extérieur le vélo qui attendrait son propriétaire jusqu'à la fin de la journée. Les gens plaisantaient toujours le soir où les neuf-ans rentraient chez eux à vélo pour la première fois. «Tu veux que je te montre comment en faire?» demandaient les amis plus âgés. «Je sais que tu n'es jamais monté à vélo.» Mais immanquablement les neuf-ans, qui en théorie transgressaient la loi en s'entraînant depuis des semaines, montaient sur leur vélo le sourire fendu jusqu'aux oreilles et démarraient, parfaitement équilibrés, sans que les petites roues touchent jamais le sol.

Puis ce fut le tour des dix-ans. Jonas n'avait jamais trouvé la cérémonie des dix-ans particulièrement intéressante – juste bonne à prendre du temps car on coupait alors les cheveux de chaque enfant selon les signes distinctifs de son sexe : les individus féminins perdaient leurs nattes, et les individus masculins abandonnaient aussi les cheveux longs de leur enfance pour adopter une coupe plus masculine qui dégageait les oreilles.

Les travailleurs montèrent rapidement sur l'estrade et balayèrent les monceaux de cheveux coupés. Jonas vit les parents des nouveaux dix-ans s'agiter et murmurer et il savait que ce soir, dans beaucoup d'habitations, ils reprendraient les coupes faites à la hâte pour les égaliser.

Les onze-ans. Il semblait à Jonas qu'il y avait peu de temps que s'était déroulée sa propre cérémonie des onze-ans, mais il se rappelait que ce n'était pas une des plus captivantes. À onze ans, on n'attendait plus que de devenir un douze-ans. La cérémonie consistait seulement à marquer le passage du temps sans apporter de changements significatifs. Il y avait bien de nouvelles tenues : des sous-vêtements différents pour les individus féminins dont le corps commençait à changer, et des pantalons plus longs pour les masculins, avec une poche étudiée spécialement pour la petite calculette qu'ils utiliseraient à l'école cette année ; mais ces tenues étaient simplement remises aux destinataires dans leur papier d'emballage sans discours d'accompagnement.

Pause pour le repas de midi. Jonas prit conscience qu'il avait faim. Ses camarades de groupe et lui se réunirent autour des tables situées à l'extérieur de l'Auditorium et sortirent leur déjeuner.

La veille, le repas s'était déroulé dans une atmosphère de gaieté, pleine de taquineries et d'énergie. Mais aujourd'hui le groupe était anxieux et se tenait à l'écart des autres enfants. Jonas regarda les nouveaux neuf-ans graviter autour de leurs bicyclettes neuves, chacun admirant sa propre plaque d'identification. Il vit les dix-ans caresser leurs nouveaux cheveux courts, les individus féminins secouant la tête pour en éprouver l'inhabituelle légèreté sans les lourdes nattes qu'elles avaient portées si longtemps.

– J'ai entendu parler d'un type qui était absolument certain d'être nommé ingénieur, marmonna Asher pendant qu'ils mangeaient, et au lieu de ça on lui a donné l'attribution d'éboueur. Le lendemain, il est sorti, il a sauté dans la rivière, il a traversé à la nage et il a rejoint la première communauté qu'il a trouvée. Personne ne l'a jamais revu.

Jonas rit.

– C'est une histoire inventée, Ash, dit-il. Mon père dit qu'on la racontait déjà quand il était un douze-ans.

Mais Asher n'était pas rassuré pour autant. Il surveillait la rivière qu'on apercevait derrière l'Auditorium.

— Je ne sais même pas bien nager, dit-il. Mon instructeur dit que c'est parce que je n'ai pas la bonne flatulence ou quelque chose comme ça.

— Corpulence, le reprit Jonas.

— Peu importe. Je ne l'ai pas. Je coule.

— De toute façon, lui fit remarquer Jonas, est-ce que tu as jamais entendu parler de quelqu'un — je veux dire quelqu'un de vrai, Asher, pas une histoire qu'on raconte — qui aurait rejoint une autre communauté ?

— Non, admit Asher à contrecœur. Mais on peut. C'est écrit dans le règlement. Si tu n'arrives pas à t'intégrer, tu peux faire une demande pour l'Ailleurs et être élargi. Ma mère dit qu'une fois, il y a dix ans à peu près, quelqu'un a déposé la demande et a disparu le lendemain.

Puis il gloussa.

— Elle m'a dit ça parce que je la rendais folle. Elle menaçait de déposer une demande pour l'Ailleurs.

— Elle plaisantait.

— Je sais. Mais c'était vrai, ce qu'elle a dit, que quelqu'un l'avait fait une fois. Disparu, du jour au lendemain. On ne l'a jamais revu. Sans même une cérémonie d'élargissement.

Jonas haussa les épaules. Cela ne l'inquiétait pas. Comment quelqu'un pourrait-il ne pas s'intégrer ? La communauté était si méticuleusement réglée, les choix étaient pris avec tant de soin !

Même l'union des conjoints était étudiée tellement à fond qu'un adulte qui avait déposé une demande pour recevoir un conjoint pouvait attendre des mois ou parfois même des années avant qu'une union ne soit approuvée et annoncée. Tous les facteurs – caractère, niveau d'énergie, intelligence et centres d'intérêt – devaient se correspondre et s'équilibrer parfaitement. La mère de Jonas, par exemple, avait une intelligence plus élevée que son père ; mais son père était d'un tempérament plus calme. Ils s'équilibraient. Leur union, qui comme toutes les unions avait été surveillée pendant trois ans par le Comité des sages avant qu'ils ne puissent déposer une demande d'enfant, était une union réussie.

Tout comme l'union des conjoints ou le placement des enfants, les attributions étaient scrupuleusement mises au point par le Comité des sages.

Il était sûr que son attribution, quelle qu'elle fût, ainsi que celle d'Asher, serait la bonne. Il avait juste hâte que la pause-déjeuner se termine, que le public retourne dans l'Auditorium et que le suspense s'achève.

Comme en réponse à ce vœu non formulé, le signal retentit et la foule se dirigea vers les portes.

7

Le groupe de Jonas avait échangé sa place dans l'Auditorium avec celle des nouveaux onze-ans, si bien qu'ils étaient maintenant assis juste devant la scène.

On les installa selon leur numéro initial, le numéro qu'ils avaient reçu à la naissance. Les numéros n'étaient que rarement utilisés après la cérémonie du nom. Mais chaque enfant connaissait son numéro, bien entendu. Parfois des parents irrités par le comportement d'un enfant s'en servaient, comme pour signifier que quelqu'un qui se conduisait mal n'était pas digne d'un nom. Jonas pouffait toujours quand il entendait un parent exaspéré lancer d'un ton sec à un bambin geignard : « Ça suffit, Vingt-Trois ! »

Jonas était numéro dix-neuf. C'était le dix-neuvième enfant né cette année-là. Ce qui signifiait que, lors de sa cérémonie du nom, il se tenait déjà debout, les yeux bien ouverts, prêt à marcher et à parler. Cela lui avait donné un léger avantage pendant un an ou deux, un peu plus de maturité que beaucoup de ses camarades de groupe nés plus tard dans l'année. Mais cet avantage s'était estompé, comme toujours, à partir de trois ans.

Après trois ans, les enfants progressaient au même

rythme, même si leur numéro initial permettait toujours de savoir qui avait quelques mois de plus que d'autres dans son groupe. À strictement parler, le numéro entier de Jonas était onze-dix-neuf, puisqu'il y avait d'autres dix-neuf, bien sûr, un dans chaque groupe. Et aujourd'hui, maintenant que les nouveaux onze-ans avaient été promus, il y avait deux onze-dix-neuf. À l'heure de la pause il avait échangé un sourire avec la nouvelle, un individu féminin réservé qui s'appelait Harriet.

Mais ce doublet n'existerait que l'espace de quelques heures. Bientôt il ne serait plus un onze mais un douze-ans, et l'âge n'aurait plus d'importance. Il serait un adulte, comme ses parents, quoiqu'un nouvel adulte non formé.

Asher était numéro quatre et était assis dans la rangée de devant. Il serait le quatrième à recevoir son attribution.

Fiona, numéro dix-huit, se trouvait à sa gauche ; à sa droite était assis numéro vingt, un garçon du nom de Pierre, que Jonas n'aimait pas beaucoup. Pierre était très sérieux, pas très marrant, anxieux et fayot avec ça. «As-tu vérifié dans le règlement, Jonas ?» chuchotait sans cesse Pierre d'un ton empreint de gravité. «Je ne suis pas sûr que ce soit dans le règlement.» Généralement il s'agissait d'une bagatelle dont tout le monde se fichait éperdument, comme d'ouvrir sa tunique par jour de vent ou de faire un tour sur le vélo d'un ami, juste pour voir la différence.

C'était la grande sage, le dirigeant de la communauté élu tous les dix ans, qui prononçait le discours d'ouverture de la cérémonie des douze-ans. Ce discours était à peu près le même chaque année : le rappel de l'enfance et de la période de préparation, l'évocation des responsabilités de la vie d'adulte, l'explication de l'importance profonde de l'attribution et de la formation qui allait suivre.

Puis la grande sage passa à la suite de son discours.

– C'est le moment, commença-t-elle en les regardant bien en face, de reconnaître les différences entre les individus. Vous, les onze-ans, vous avez appris pendant toutes ces années à vous intégrer, à vous couler dans le moule, à réprimer tout élan qui pourrait vous isoler du groupe. Mais aujourd'hui nous rendons hommage à vos différences. Ce sont elles qui ont déterminé votre avenir.

Elle se mit à décrire le groupe de cette année et la variété des personnalités qui le composaient sans toutefois nommer personne. Elle dit que quelqu'un avait une aptitude particulière à s'occuper des autres, qu'un autre adorait les nouveau-nés, qu'un troisième était doué d'un talent scientifique peu ordinaire et qu'un quatrième éprouvait un plaisir manifeste à faire des travaux physiques. Jonas s'agitait sur son siège, cherchant à reconnaître ses camarades de groupe derrière ces allusions. L'aptitude à s'occuper des autres ne pouvait qu'être celle de Fiona ; il se rappelait avec quelle douceur elle avait aidé l'ancien à prendre son bain. Celui doué d'un talent scientifique devait être Benjamin, l'individu masculin qui avait mis au point d'importantes nouvelles machines pour le Centre de soins.

Il n'entendit rien en quoi il aurait pu se reconnaître, lui, Jonas.

Enfin, la grande sage rendit hommage au dur labeur accompli par son Comité qui avait élaboré toutes ses observations avec tant de méticulosité durant l'année. Le Comité des sages se leva et fut applaudi. Jonas vit Asher se couvrir poliment la bouche de la main pour dissimuler un léger bâillement.

Finalement, la grande sage appela numéro un à l'estrade et les attributions commencèrent.

Chaque annonce prenait du temps car elle était accompagnée d'un discours adressé au nouveau douze-ans. Jonas s'efforça de prêter attention tandis que numéro un, souriant de joie, recevait l'attribution de préposée du vivier à poissons et qu'on la félicitait pour toutes les heures de bénévolat passées là-bas dans son enfance ainsi que pour l'intérêt qu'elle manifestait pour ce processus essentiel qu'était l'alimentation de sa communauté.

Numéro un, qui s'appelait Madeline, revint enfin s'asseoir sous les applaudissements, portant un nouvel insigne qui la désignait comme préposée du vivier à poissons. Jonas était bien content que ce poste-là fût pris ; il n'en aurait pas voulu. Mais il adressa à Madeline un sourire de félicitations.

Quand numéro deux, une fille nommée Inger, reçut l'attribution de mère porteuse, Jonas se souvint que sa mère avait qualifié ce poste de très peu honorifique. Mais il décida que le Comité avait fait un bon choix. Inger était une brave fille, quoiqu'un peu paresseuse, et elle était forte. Elle aimerait se faire dorloter pendant trois ans, après une courte formation ; elle mettrait au monde facilement, sans problèmes ; et le poste de travailleuse qui viendrait ensuite lui permettrait d'utiliser sa force, d'entretenir sa forme et d'apprendre l'autodiscipline. Inger souriait quand elle revint s'asseoir. Mère porteuse était un poste important, même s'il manquait de prestige.

Jonas remarqua l'air nerveux d'Asher. Il n'arrêtait pas de

se retourner et de jeter des coups d'œil à Jonas, jusqu'à ce que le chef du groupe lui adresse un reproche muet et lui fasse signe de se tenir tranquille et de regarder devant lui.

Isaac, numéro trois, reçut l'attribution d'instructeur des six-ans, ce qui apparemment lui fit plaisir et qu'il méritait bien. Cela faisait trois attributions de moins dont Jonas n'aurait pas voulu, non qu'il eût pu être mère porteuse de toute façon, constata-t-il amusé. Il chercha à parcourir en pensée la liste des attributions qui restaient. Mais il y en avait tellement qu'il abandonna ; de plus, c'était au tour d'Asher. Il se concentra tandis qu'Asher se dirigeait vers l'estrade et venait se placer un peu gauchement près de la grande sage.

– Dans la communauté, nous connaissons et nous apprécions tous Asher, commença la grande sage.

Asher sourit jusqu'aux oreilles et se gratta une jambe avec l'autre pied. Le public sourit.

– Quand le Comité a commencé à réfléchir à l'attribution d'Asher, poursuivit-elle, il y a certaines possibilités que nous avons immédiatement écartées. Certaines ne lui auraient clairement pas convenu. Par exemple, dit-elle en souriant, pas un instant n'avons-nous pensé à le nommer instructeur des trois-ans.

Le public éclata de rire. Asher rit, lui aussi, l'air à la fois penaud et satisfait de l'attention qu'on lui portait. Les instructeurs des trois-ans étaient chargés de l'acquisition correcte du langage.

– En fait, continua la grande sage, qui réprimait un petit rire elle aussi, nous avons même envisagé d'infliger une punition rétroactive à celui qui était l'instructeur des trois-ans d'Asher, il y a bien longtemps. Lors des réunions portant sur l'attribution d'Asher, nous nous sommes remémorés beaucoup d'histoires qui dataient de l'époque où il apprenait à parler correctement. En particulier, pouffa-t-elle, l'histoire du claque-croûte. N'est-ce pas, Asher ?

Asher acquiesça, penaud, et le public rit à gorge déployée. Jonas aussi. Il s'en souvenait, bien qu'il ne fût lui-même qu'un trois-ans à l'époque.

Les punitions qu'on utilisait pour les petits enfants consistaient en une série de tapes administrées avec la baguette disciplinaire, une arme fine et souple qui pouvait faire très mal. Les éducateurs spécialisés étaient initiés avec beaucoup de minutie aux méthodes de discipline : une tape sur le dos de la main pour une petite bêtise, trois claques plus fortes sur les jambes nues pour une récidive.

Pauvre Asher qui avait toujours parlé trop vite et emmêlé les mots, même tout petit ! Un jour, à l'âge de trois ans, impatient de recevoir son jus de fruits et ses petits gâteaux, il avait dit «claque-croûte» au lieu de «casse-croûte» alors qu'il faisait la queue à l'heure du goûter.

Jonas s'en souvenait clairement. Il revoyait le petit Asher gigotant d'impatience dans la queue. Il se rappelait la voix joyeuse : «Je veux mon claque-croûte.»

Les autres trois-ans, Jonas y compris, avaient ri nerveusement. «Un casse-croûte», l'avaient-ils repris. «Tu veux dire un casse-croûte, Asher !» Mais la faute avait été commise. Et la précision du langage était un des objectifs primordiaux pour les petits enfants. Asher avait demandé une claque. La baguette disciplinaire, maniée par l'éducateur, siffla en s'abattant sur les mains d'Asher.

Asher gémit, recula et se reprit aussitôt. « Casse-croûte »,
murmura-t-il.

Mais le lendemain il refit la faute. Et de nouveau la
semaine suivante. On aurait dit qu'il n'arrivait pas à s'en
empêcher, bien que la baguette disciplinaire sanctionnât
chaque erreur un peu plus fermement chaque fois pour
finir par une série de coups cinglants qui avaient laissé des
marques sur les jambes d'Asher. Suite à cela, Asher s'arrêta
même de parler pendant un moment.

— Pendant un temps, poursuivit la grande sage qui
relatait l'histoire, notre Asher est resté silencieux. Mais il
a compris.

Elle se tourna vers lui en souriant.

— Quand il a recommencé à parler, c'était avec plus de
précision. Et maintenant il fait très peu d'erreurs. Il se
reprend et s'excuse rapidement. Et il est d'humeur toujours parfaite.

Le public acquiesça dans un murmure. Le bon caractère d'Asher était bien connu dans la communauté.

— Asher.

Elle haussa le ton pour l'annonce officielle.

— Nous t'avons attribué le poste de directeur adjoint
des Loisirs.

Il rayonnait quand elle lui attacha son nouvel insigne.
Puis il fit demi-tour et quitta la scène parmi les applaudissements du public. Quand il eut repris sa place, la
grande sage le regarda et prononça les mots qu'elle avait
maintenant prononcés quatre fois, une par enfant, et
qu'elle redirait à chaque nouveau douze-ans. Malgré
tout, elle parvenait à leur donner un sens spécifique pour
chacun.

— Asher, dit-elle, merci pour ton enfance.

Jonas écouta les attributions se poursuivre, rassuré maintenant par le poste merveilleux que son meilleur ami s'était vu attribuer. Mais son appréhension augmentait au fur et à mesure que son propre tour approchait. Maintenant les nouveaux douze-ans assis dans la rangée de devant avaient tous reçu leur insigne. Ils le tripotaient tout en écoutant, et Jonas savait qu'ils pensaient tous à la formation qui les attendait. Pour certains – un individu masculin assidu qui avait été nommé docteur, un individu féminin nommé ingénieur ou un autre choisi pour travailler à la Justice –, cela représenterait des années d'études et de dur labeur. Pour d'autres, sélectionnés comme travailleurs ou comme mères porteuses, la période de formation serait bien plus courte.

On appela numéro dix-huit, Fiona, assise à sa gauche. Jonas savait qu'elle devait être un peu nerveuse, mais Fiona était d'un caractère calme. Elle s'était montrée tranquille et sereine depuis le début de la cérémonie.

Même les applaudissements, quoique enthousiastes, paraissaient sereins quand Fiona reçut l'attribution importante de responsable des anciens. C'était parfait pour une fille douce et sensible comme elle, et elle souriait d'un air satisfait quand elle vint se rasseoir près de lui.

Les applaudissements s'estompèrent et Jonas se prépara à se diriger vers l'estrade tandis que la grande sage prenait le dossier suivant et fixait le groupe du regard avant d'appeler le nouveau douze-ans. Il se sentait calme maintenant que c'était son tour. Il respira profondément et passa la main dans ses cheveux.

— Numéro vingt, entendit-il distinctement. Pierre.

Elle a sauté mon tour, pensa Jonas, abasourdi. Avait-il mal entendu ? Non. Il y eut comme une rumeur parmi la foule car la communauté entière comprenait que la grande sage était passée de dix-huit à vingt en laissant un vide. À sa droite, Pierre se leva, l'air ahuri, et se dirigea vers l'estrade.

C'était une erreur. Elle avait fait une erreur. Mais Jonas savait bien, au moment même où cette pensée lui traversait l'esprit, que ce n'était pas une erreur. La grande sage ne faisait pas d'erreurs. Pas pendant la cérémonie des douze-ans.

Sa tête se mit à tourner. Il ne parvenait plus à se concentrer. Il n'entendit pas quelle attribution Pierre avait reçue et ne perçut que vaguement les applaudissements qui accompagnèrent le garçon tandis qu'il reprenait sa place, arborant son nouvel insigne. Et puis vingt et un, vingt-deux.

Les numéros se suivaient dans l'ordre. Jonas entendit qu'on passait aux trente puis aux quarante, approchant de la fin. Chaque fois, à chaque annonce, son cœur se soulevait un instant et des pensées saugrenues lui venaient à l'esprit. Peut-être allait-elle l'appeler maintenant ? Peut-être avait-il oublié son propre numéro ? Non. Il avait toujours été le numéro dix-neuf. Il était assis à la place marquée dix-neuf.

Pourtant elle avait sauté son tour. Il remarqua que les camarades de son groupe lui jetaient des coups d'œil embarrassés puis détournaient rapidement leur regard. Il vit que son chef de groupe avait l'air inquiet.

Il rentra la tête dans les épaules et chercha à se faire tout petit sur son siège. Il aurait voulu disparaître, s'éva-

nouir, ne plus exister. Il n'osait pas se retourner et chercher du regard ses parents dans la foule. Il ne pouvait pas
supporter la vision de leurs visages assombris par la
honte.

Jonas se recroquevilla encore et se mit à se creuser la
cervelle.

Qu'avait-il fait de mal ?

8

Le public était manifestement mal à l'aise. Il applaudit à la fin de la dernière attribution, mais ses applaudissements étaient décousus et ne suivaient plus le même crescendo d'enthousiasme collectif. On entendait des murmures de confusion.

Jonas joignait les mains et les tapait l'une contre l'autre, mais c'était devenu un geste automatique, sans signification, dont il n'était même pas conscient. Son esprit avait éliminé toutes les émotions antérieures : l'anticipation, l'excitation, la fierté et même la chaleureuse camaraderie partagée avec ses amis. Maintenant il ne ressentait plus que de l'humiliation et de la terreur.

La grande sage attendit que les applaudissements gênés se taisent. Puis elle reprit la parole.

– Je sais, dit-elle de sa belle voix vibrante, que vous êtes tous inquiets. Vous avez l'impression que j'ai fait une erreur.

Elle sourit. On aurait dit que la communauté, légèrement soulagée par cette déclaration bienveillante, se mettait à respirer plus calmement. Tout le monde était très silencieux.

Jonas leva la tête.

— Je vous ai causé de l'inquiétude, dit-elle. Je demande pardon à ma communauté.

Sa voix survolait la foule.

— Nous acceptons vos excuses, prononcèrent-ils tous ensemble.

— Jonas, dit-elle en le regardant, je te demande pardon en particulier. Je t'ai causé de l'angoisse.

— J'accepte vos excuses, répondit Jonas d'une voix tremblante.

— Viens sur l'estrade, maintenant, s'il te plaît.

Le matin même, dans son habitation, il s'était entraîné tout en s'habillant à adopter la démarche sûre et désinvolte qu'il espérait mettre en pratique pour se rendre à l'estrade quand son tour viendrait. Tout était oublié maintenant. Il fit un suprême effort pour se mettre debout, pour placer l'un devant l'autre ses pieds lourds et engourdis, pour avancer, monter les marches, traverser l'estrade et venir se poster à côté d'elle.

D'un air rassurant, elle passa son bras autour de ses épaules contractées.

— Jonas n'a pas reçu d'attribution, annonça-t-elle à la cantonade et le cœur de Jonas lui tomba dans l'estomac.

Puis elle poursuivit.

— Jonas a été sélectionné.

Il cligna des yeux. Qu'est-ce que cela signifiait ? Il sentit un mouvement collectif d'interrogation dans l'assemblée. Tous étaient aussi perplexes que lui.

D'une voix ferme et imposante, elle déclara :

— Jonas a été sélectionné pour devenir notre prochain dépositaire de la Mémoire.

Alors il entendit chaque citoyen présent, le souffle

coupé par la surprise, reprendre brusquement sa respiration. Il vit leurs visages, leurs yeux agrandis par l'effroi et le respect.

Pourtant il ne comprenait toujours pas.

– Une sélection comme celle-ci est une chose très, très rare, expliqua la grande sage au public. Notre communauté n'a qu'un dépositaire. C'est lui qui forme son successeur. Notre dépositaire actuel est là depuis très longtemps, enchaîna-t-elle.

Jonas suivit son regard et vit qu'il se posait sur l'un des sages. Les sages du Comité étaient assis en groupe ; les yeux de la grande sage fixaient maintenant l'un d'eux, assis au milieu mais paraissant pourtant étrangement séparé des autres. C'était un homme que Jonas n'avait jamais remarqué auparavant, un homme barbu aux yeux pâles. Il regardait Jonas avec intensité.

– Notre dernière sélection a échoué, déclara la grande sage d'un ton grave. C'était il y a dix ans, quand Jonas n'était encore qu'un petit enfant. Je ne m'étendrai pas sur cette expérience car elle nous met tous terriblement mal à l'aise.

Jonas ne savait pas à quoi elle faisait référence mais il perçut distinctement le malaise dans l'assemblée. Les gens s'agitaient sur leur siège.

– Cette fois-ci nous avons pris notre temps, reprit-elle. Nous ne pouvions pas nous permettre de commettre une autre erreur. Parfois, poursuivit-elle sur un ton plus léger qui atténua la tension palpable dans l'Auditorium, nous ne sommes pas complètement sûrs des attributions, même après avoir mené les observations les plus minutieuses. Nous craignons parfois que la personne choisie n'acquière pas, pendant la formation, tous les attributs nécessaires. Les onze-ans sont encore des enfants, après tout. Ce que nous observons comme étant de l'enjouement et de la patience, par exemple – les qualités requises pour devenir nourricier –, pourrait avec le temps s'avérer n'être que niaiserie et indolence. C'est pourquoi nous poursuivons nos observations durant la période de formation pour modifier les comportements quand cela est nécessaire. Mais le dépositaire-en-formation ne peut être observé, son comportement ne peut être modifié. Ceci est écrit tout à fait clairement dans le règlement. Il doit être seul, tenu à part, tandis que le dépositaire actuel le prépare à tenir le poste le plus honorifique de notre communauté.

Seul ? À part ? Jonas se sentait de plus en plus mal à l'aise.

– C'est pourquoi la sélection doit être fiable. Elle doit faire l'unanimité du Comité. Nous ne pouvons nous permettre de doutes, même passagers. Si, pendant le processus, un sage fait état d'un rêve d'incertitude, ce rêve a le pouvoir d'éliminer immédiatement un candidat. Nous avons identifié Jonas comme dépositaire potentiel il y a de nombreuses années. Nous l'avons observé méticuleusement. Il n'y a pas eu de rêves d'incertitude. Il a fait montre de toutes les qualités que doit posséder un dépositaire.

La main toujours fermement posée sur son épaule, la grande sage énuméra ces qualités.

– L'*intelligence*, fit-elle. Nous savons tous que Jonas a été un élève exemplaire pendant ses années d'école. L'*intégrité*, dit-elle ensuite. Comme nous tous, Jonas a commis quelques fautes secondaires.

Elle lui sourit.

– Nous nous y attendions. Nous espérions également qu'il se soumettrait promptement de lui-même aux réprimandes, et il l'a toujours fait. Le *courage*, poursuit-elle. Seul l'un d'entre nous qui sommes présents aujourd'hui a suivi l'entraînement rigoureux d'un dépositaire. Il s'agit, bien sûr, du membre le plus important du Comité : le dépositaire actuel. C'est lui qui nous a rappelé sans cesse le courage requis. Jonas, dit-elle en se tournant vers lui mais en parlant assez fort pour que toute la communauté l'entende, la formation que tu vas suivre comportera de la souffrance. De la souffrance physique.

Il sentit la peur palpiter en lui.

– Il s'agit de quelque chose que tu ne connais pas. C'est vrai, tu t'es écorché les genoux en tombant de bicyclette. C'est vrai, tu t'es coincé le doigt dans une porte l'an dernier.

Jonas acquiesça en se remémorant l'incident et la douleur qui l'avait accompagné.

– À présent tu vas être confronté, expliqua-t-elle doucement, à une souffrance d'une ampleur que nul d'entre nous ici ne peut saisir car elle se situe au-delà du champ de notre expérience. Le dépositaire lui-même n'a pas su la décrire et il s'est contenté de nous rappeler que tu y serais confronté et que tu devrais faire preuve d'un courage immense. Nous ne pouvons te préparer à cela. Mais nous sommes convaincus de ton courage, dit-elle en s'adressant directement à lui.

Il n'en était pas du tout convaincu. Pas à cet instant précis.

– Le quatrième attribut essentiel, reprit la grande sage,

c'est la *sagesse*. Jonas ne l'a pas encore. L'acquisition de la sagesse viendra avec son entraînement. Nous sommes persuadés que Jonas a la capacité d'acquérir la sagesse. C'est ce que nous recherchions. Enfin, le dépositaire doit posséder encore une qualité, que je ne peux que nommer, et non décrire. Je ne sais pas de quoi il s'agit. Vous autres membres de la communauté ne le saurez pas non plus. Peut-être que Jonas, lui, comprendra de quoi je parle, car le dépositaire actuel nous a dit que Jonas possédait déjà cette qualité. Il l'appelle la « capacité-à-voir-au-delà ».

La grande sage fixa Jonas d'un air interrogateur. Le public le fixait aussi. Tout le monde se taisait.

Pendant un instant il se figea, rongé de désespoir. Il ne l'avait pas, le *quelque chose* qu'elle avait dit. Il ne savait pas ce que c'était. Le moment était venu pour lui d'avouer : « Non, je ne l'ai pas, je ne peux pas », et de s'en remettre à leur merci, de demander pardon, d'expliquer qu'on l'avait choisi à tort, qu'il n'était pas du tout la personne qu'il fallait.

Mais en balayant la foule du regard, la chose se reproduisit. La chose qui s'était produite avec la pomme.

Ils avaient changé.

Il cligna des yeux et c'était fini. Ses épaules se redressèrent légèrement. Brièvement, pour la première fois, il ressentit un soupçon de certitude.

La grande sage le regardait toujours. Tout le monde le regardait.

— Je crois que c'est vrai, dit-il à la grande sage et à l'ensemble de la communauté. Je ne le comprends pas encore. Je ne sais pas ce que c'est. Mais parfois je vois quelque chose. Et peut-être que c'est au-delà.

Elle retira son bras de ses épaules.

– Jonas, dit-elle en s'adressant non seulement à lui mais à l'ensemble de la communauté dont il faisait partie, tu seras formé pour devenir notre prochain dépositaire de la Mémoire. Nous te remercions pour ton enfance.

Puis elle fit volte-face et quitta la scène, le laissant seul, debout face à la foule qui entama spontanément le murmure collectif de son nom.

« Jonas. »

Au début ce n'était qu'une rumeur, un chuchotement à peine audible. « Jonas. Jonas. »

Puis plus fort, plus vite. « JONAS. JONAS. JONAS. »

Par cette mélopée, Jonas savait que la communauté l'acceptait, acceptait son nouveau rôle, et lui donnait la vie, tout comme elle avait donné la vie à Caleb, le nouveau-né. Son cœur se gonfla de reconnaissance et de fierté.

Pourtant, en même temps il avait peur. Il ne savait pas ce que signifiait sa sélection. Il ne savait pas ce qu'on attendait de lui.

Ou ce qui l'attendait.

9

Maintenant, pour la première fois de sa vie, Jonas se sentait à part, différent. Il se souvenait des mots de la grande sage : pendant sa formation, il serait seul et tenu à l'écart.

Son entraînement n'avait pas encore commencé que déjà, en quittant l'Auditorium, il ressentait son isolement. Le dossier qu'on lui avait remis à la main, il se fraya un chemin à travers la foule en cherchant du regard les membres de sa cellule familiale et Asher. Les gens s'écartaient pour le laisser passer. Ils le regardaient. Il eut l'impression d'entendre des murmures.

— Ash ! s'écria-t-il après avoir repéré son ami près des rangées de bicyclettes. On rentre ensemble ?

— Bien sûr.

Asher sourit, de son sourire habituel, chaleureux et familier. Mais Jonas perçut un moment d'hésitation chez son ami, un doute.

— Félicitations, dit Asher.

— À toi aussi, répondit Jonas. C'était vraiment amusant quand elle a raconté l'histoire des claque-croûte. Tu as eu droit à plus d'applaudissements que tout le monde.

Les autres nouveaux douze-ans s'étaient rassemblés

près d'eux et rangeaient précautionneusement leurs dossiers dans les sacoches accrochées à leurs porte-bagages. Ce soir, dans chaque habitation, ils étudieraient les consignes relatives à leur formation. Chaque soir, pendant des années, les enfants avaient appris par cœur leurs leçons, souvent en bâillant d'ennui. Ce soir, ils se mettraient tous avec avidité à apprendre les règles concernant leur attribution d'adulte.

— Félicitations, Asher! lança quelqu'un.

Et puis de nouveau cette hésitation.

— Toi aussi, Jonas!

Asher et Jonas retournèrent le compliment à leurs camarades de groupe. Jonas aperçut ses parents, qui le regardaient de l'endroit où leurs propres vélos étaient rangés. Lily était déjà assise et attachée à son siège.

Il leur fit signe de la main. Ils lui rendirent son signe en souriant, mais il remarqua que Lily le contemplait d'un air grave, le pouce à la bouche.

Il revint directement chez lui, n'échangeant avec Asher que des plaisanteries ou des remarques sans importance.

— À demain, monsieur le directeur des Loisirs! lança-t-il en descendant de bicyclette devant chez lui tandis qu'Asher poursuivait sa route.

— C'est ça, à demain! répondit Asher.

Encore une fois, il y eut un instant où les choses ne semblèrent plus tout à fait comme avant, comme elles l'avaient toujours été au cours de leur longue amitié. Peut-être avait-il rêvé. Les choses ne pouvaient pas changer avec Asher.

Le repas du soir fut plus silencieux que d'habitude. Lily

jacassa sur ses projets de bénévolat; elle commencerait, dit-elle, par le Centre nourricier, puisqu'elle était déjà experte à nourrir Gabriel.

— Je sais, s'empressa-t-elle d'ajouter comme son père lui lançait un avertissement du regard, je ne prononcerai pas son nom. Je sais que je ne suis pas censée le connaître. Je voudrais tellement qu'on soit demain, je n'en peux plus d'attendre, dit-elle gaiement.

Jonas soupira, mal à l'aise.

— Moi aussi, marmonna-t-il.

— On t'a fait un grand honneur, dit sa mère. Ton père et moi sommes très fiers.

— C'est le métier le plus important de la communauté, déclara papa.

— Mais l'autre soir vous disiez que le métier de ceux qui déterminaient les attributions était le plus important !

Maman acquiesça.

— Cette fois, c'est différent. Ce n'est pas vraiment un métier. Je n'aurais jamais pensé, jamais cru...

Elle marqua une pause.

— Il n'y a qu'un dépositaire.

— Mais la grande sage a dit qu'ils avaient sélectionné quelqu'un déjà et que ça avait échoué. De quoi parlait-elle ?

Ses parents hésitèrent tous les deux. Finalement son père se mit à décrire la sélection précédente.

— Cela ressemblait beaucoup à aujourd'hui, Jonas : le même suspense quand on avait sauté le tour d'un onze-ans lors de la remise des attributions. Et puis l'annonce officielle, quand ils avaient appelé la personne...

Jonas l'interrompit.

– Comment s'appelait-il ?

Sa mère lui répondit.

– Elle, pas lui. C'était un individu féminin. Mais nous ne devons plus jamais prononcer son nom, ni le redonner à un nouveau-né.

Jonas fut soufflé. Un nom qu'on désignait comme étant à-ne-plus-prononcer indiquait le plus haut degré de disgrâce.

– Qu'est-ce qui lui est arrivé ? demanda-t-il nerveusement.

Mais ses parents restaient sans expression.

– On ne sait pas, dit son père, mal à l'aise. On ne l'a jamais revue.

Un silence s'installa dans la pièce. Ils se regardaient. Finalement sa mère déclara en se levant de table :

– On t'a fait un grand honneur, Jonas. Un grand honneur.

Seul dans sa chambre, une fois prêt à se mettre au lit, Jonas ouvrit enfin son dossier. Certains douze-ans, avait-il remarqué, avaient reçu des dossiers épais, remplis de feuilles tapées à la machine. Il imaginait Benjamin, le scientifique de son groupe, s'attaquant avec délectation à des pages de règles et de consignes. Il se représentait Fiona avec son doux sourire en train de se pencher sur les listes de devoirs et de méthodes qu'elle aurait à apprendre dans les jours à venir.

Mais son dossier à lui était étonnamment vide. À l'intérieur ne se trouvait qu'une feuille. Il la lut deux fois.

JONAS
DÉPOSITAIRE DE LA MÉMOIRE

1 Rends-toi immédiatement, chaque jour après l'école, à l'entrée de l'Annexe qui se trouve derrière la Maison des anciens et présente-toi à la préposée.

2 Retourne immédiatement chez toi tous les jours à la fin de tes heures de formation.

3 Dorénavant, tu es exempté des règles concernant la politesse. Tu peux poser n'importe quelle question à n'importe quel citoyen et tu recevras une réponse.

4 Ne parle de ta formation à aucun autre membre de la communauté, y compris tes parents et les sages.

5 Dorénavant, il t'est défendu de raconter tes rêves.

6 Sauf en cas de maladie ou de blessure sans rapport avec la formation, ne demande aucun médicament.

7 Tu n'as pas le droit de demander à être élargi.

8 Tu peux mentir.

Jonas était stupéfait. Qu'adviendrait-il de ses amitiés ? Des heures insouciantes passées à jouer au ballon ou à pédaler le long de la rivière ? Ces moments-là avaient été pour lui des moments essentiels de bonheur. Allaient-ils lui être complètement retirés désormais ? Il s'attendait aux consignes d'ordre purement technique : où aller et quand. Il fallait bien sûr expliquer à chaque nouveau douze-ans où, quand et comment se présenter pour recevoir sa formation. Mais il était un peu consterné de constater que ses horaires ne lui laissaient apparemment aucun temps libre pour les loisirs.

De n'être plus obligé de respecter les règles de politesse le surprenait fort. À la relecture, toutefois, il prit conscience que cela ne l'obligeait pas à être malpoli ; cela lui en donnait simplement la possibilité. Il était tout à fait persuadé qu'il n'en profiterait jamais. Il était si entièrement, si profondément habitué à la courtoisie qui régnait dans la communauté que l'idée de poser une question intime à un autre citoyen, ou d'attirer son attention sur une zone délicate, le déconcertait.

L'interdiction de raconter ses rêves, songea-t-il, ne serait pas vraiment un problème. Il rêvait si rarement qu'il ne lui était pas facile, de toute façon, de raconter quoi que ce fût et il était content d'avoir une excuse pour ne plus le faire. Il s'interrogea pourtant un instant sur la façon d'aborder le problème au repas du matin. Que faire s'il rêvait, justement ? Devait-il simplement dire à sa cellule familiale, comme il le faisait si souvent, qu'il n'avait pas rêvé ? Ce serait un mensonge. Pourtant, la dernière règle disait que... Non, il n'était pas encore prêt à penser à la dernière règle.

Le fait de ne plus avoir libre accès aux médicaments le mettait mal à l'aise. Les médicaments étaient accessibles à tous, y compris aux enfants par l'entremise de leurs parents. Quand il s'était coincé le doigt dans une porte, il avait aussitôt, d'une voix haletante, averti sa mère par le haut-parleur ; elle avait commandé le remède contre la douleur, qui lui avait été promptement livré à son habitation. Presque instantanément, la souffrance intolérable s'était réduite à un élancement qui était tout ce qu'il se rappelait désormais de l'expérience.

En relisant la règle numéro 6, il s'aperçut qu'un doigt coincé dans une porte entrait dans la catégorie des « blessures sans rapport avec la formation ». Si jamais cela devait se reproduire – mais il était certain que cela ne se reproduirait jamais : depuis son accident, il était devenu très prudent avec les grosses portes ! –, il pourrait toujours avoir accès au remède.

La pilule qu'il prenait désormais chaque matin était, elle aussi, sans rapport avec la formation. On continuerait donc à la lui donner.

Pourtant il se rappelait avec un certain malaise ce que la grande sage avait dit de la douleur qu'il rencontrerait au cours de sa formation. Elle avait dit qu'elle était indescriptible.

Jonas avala un grand coup, essayant de se représenter ce que serait une telle souffrance sans aucun médicament. Mais cela dépassait son entendement.

La règle numéro 7 le laissait complètement indifférent. Il ne lui était jamais venu à l'esprit qu'il pourrait un jour, quelle que fût la circonstance, demander à être élargi.

Enfin, il prit son courage à deux mains et relut la dernière règle. Depuis sa plus tendre enfance, depuis ses tout débuts dans l'apprentissage du langage, on l'avait habitué à ne jamais mentir. Cela faisait partie intégrante de l'acquisition correcte du langage.

Un jour, lorsqu'il était un quatre-ans, il avait dit, juste avant le repas de midi à l'école : « Je meurs de faim. » On l'avait immédiatement pris à part pour un petit entretien en précision du langage. Il ne mourait pas de faim, lui avait-on expliqué. Il avait faim. Personne ne mourait de faim, n'était jamais mort de faim et ne mourrait jamais de faim dans la communauté. Dire qu'il mourait de faim était un mensonge. Un mensonge involontaire, bien sûr.

Mais la précision du langage permettait de s'assurer que personne ne dise jamais de mensonges involontaires. Est-ce qu'il comprenait, lui avait-on demandé ? Et il avait compris.

Il n'avait jamais, du plus loin qu'il s'en souvienne, eu envie de mentir. Asher ne mentait pas. Lily ne mentait pas. Ses parents ne mentaient pas. Personne ne mentait. À moins que…

Une idée que Jonas n'avait jamais eue lui traversa l'esprit. Une idée effrayante. Et si les autres – les adultes – avaient, en devenant des douze-ans, reçu dans leur dossier la même consigne terrifiante ?

Et si on leur avait dit à tous : « Tu peux mentir » ?

Jonas fut pris de vertige. Maintenant qu'il avait le pouvoir de poser les questions les plus impolies – et qu'on lui promettait des réponses –, il pouvait théoriquement, et bien que ce fût quasiment impossible à imaginer, demander à quelqu'un, à un adulte, à son père peut-être : « Est-ce que tu mens ? »

Mais il n'avait aucun moyen de savoir si la réponse qu'il recevrait était vraie.

10

— Je m'arrête ici, Jonas, annonça Fiona comme ils atteignaient la porte d'entrée de la Maison des anciens après avoir garé leurs bicyclettes à l'emplacement réservé. Je ne sais pas pourquoi je suis nerveuse, avoua-t-elle. Je suis venue ici si souvent.

Elle tournait et retournait son dossier dans ses mains.

— Oui, mais tout a changé maintenant, lui rappela Jonas.

— C'est vrai, même les plaques d'identification de nos vélos, répondit Fiona en riant.

Pendant la nuit, l'équipe d'entretien avait ôté la plaque de chaque nouveau douze-ans et l'avait remplacée par celle qui signifiait : « citoyen-en-formation ».

— Je ne veux pas être en retard, ajouta-t-elle à la hâte en grimpant les marches. Si nous terminons en même temps, je rentrerai avec toi.

Jonas acquiesça, lui fit au revoir de la main, et se dirigea vers l'Annexe, une petite aile attachée à l'arrière du bâtiment. Lui non plus ne voulait sûrement pas être en retard le premier jour de sa formation.

L'Annexe était très ordinaire et la porte d'entrée quelconque. Il s'apprêtait à appuyer sur la grosse poignée quand il aperçut une sonnette sur le mur. Il sonna donc.

— Oui ?

La voix sortait du petit haut-parleur situé au-dessus de la sonnette.

— C'est, euh… Jonas. Je suis, je veux dire…

— Entrez.

Un petit clic l'avertit que la porte avait été ouverte.

Le hall était très petit et ne contenait qu'un bureau où une préposée était penchée sur des papiers. Elle leva la tête quand il entra, puis, à la surprise de Jonas, elle se leva. Ce n'était pas grand-chose, mais jusqu'à présent personne ne s'était jamais levé automatiquement en sa présence.

— Bienvenue, dépositaire de la Mémoire, dit-elle avec respect.

— Oh, je vous en prie, répondit-il, mal à l'aise. Appelez-moi Jonas.

Elle sourit, appuya sur un bouton, et il entendit le petit clic d'ouverture de la porte située à sa gauche.

— Vous pouvez y aller.

Puis elle eut l'air de s'apercevoir de son malaise et d'en comprendre l'origine. Aucune porte de la communauté n'était jamais fermée. Aucune porte que Jonas connaissait, en tout cas.

— Les verrous sont juste là pour permettre au dépositaire d'être au calme car il a besoin de concentration, expliqua-t-elle. Ce serait difficile si les citoyens entraient ici comme dans un moulin, à la recherche du Centre de réparation des bicyclettes, par exemple.

Jonas rit et se détendit un peu. La femme semblait très gentille et c'était vrai – c'était même une source de plaisanteries dans la communauté – que le Centre de réparation des bicyclettes, un petit bureau sans importance, était si souvent déplacé que personne ne savait jamais où le trouver.

— Il n'y a rien de dangereux ici. Mais, ajouta-t-elle en jetant un coup d'œil à la pendule accrochée au mur, il n'aime pas qu'on le fasse attendre.

Jonas se hâta de franchir la porte et se retrouva dans une zone d'habitation confortablement meublée. Elle ressemblait à sa propre habitation. Les meubles étaient les mêmes dans toute la communauté : pratiques, solides, avec une fonction clairement définie pour chaque chose. Un lit pour dormir. Une table pour manger. Un bureau pour travailler.

Il y avait tout cela dans cette pièce spacieuse, bien que tout fût légèrement différent de ce qu'on trouvait dans l'habitation de Jonas. Le tissu qui recouvrait les fauteuils et le canapé était plus épais, plus luxueux ; les pieds de la table n'étaient pas droits comme ceux de la table de chez lui, mais fins, incurvés et ornés d'un motif sculpté dans le bois. Le lit, situé dans une alcôve à l'autre bout de la pièce, était recouvert d'un drap magnifique entièrement brodé de dessins compliqués.

Mais la différence la plus visible, c'étaient les livres. Dans l'habitation de Jonas, on trouvait les ouvrages de référence nécessaires, présents dans chaque maisonnée : un dictionnaire et le gros livre de la communauté qui contenait la description de tous les bureaux, les usines, les bâtiments et les comités. Et le livre des Lois, bien sûr.

Les livres de son habitation étaient les seuls que Jonas ait jamais vus. Il n'avait jamais soupçonné que d'autres livres existaient.

Mais les murs de cette pièce étaient entièrement recouverts d'étagères qui allaient jusqu'au plafond. Il devait y avoir des centaines, peut-être des milliers de livres aux titres gravés en lettres brillantes.

Jonas les fixa du regard. Il ne pouvait pas imaginer ce que contenaient les milliers de pages. Y avait-il d'autres lois au-delà de celles qui régissaient la communauté ? Y avait-il encore d'autres descriptions de bureaux et d'usines et de comités ?

Il n'eut qu'une seconde pour regarder autour de lui car il était conscient que l'homme assis dans un fauteuil à côté du bureau le contemplait. Promptement il s'approcha et s'inclina légèrement.

– Je suis Jonas.

– Je sais. Bienvenue, dépositaire de la Mémoire.

Jonas reconnut l'homme. Il s'agissait du sage qui avait l'air d'être à part lors de la cérémonie bien qu'il fût vêtu du même habit spécifique qui leur était réservé.

Jonas regarda avec embarras les yeux pâles qui reflétaient les siens.

– Monsieur, je vous demande pardon si je ne saisis pas bien…

Il marqua un temps mais l'homme ne prononça pas la réponse consacrée signifiant qu'il acceptait ses excuses. Après un moment, Jonas poursuivit.

– Mais il me semblait… je veux dire qu'il me semble, se reprit-il en se rappelant que s'il y avait une occasion où la précision de langage était importante, c'était bien maintenant en présence de cet homme, il me semble que c'est vous le dépositaire de la Mémoire. Je ne suis, euh… on ne m'a attribué, je veux dire sélectionné, qu'hier. Je ne suis rien. Rien encore.

L'homme le regardait pensivement sans rien dire. Son regard alliait de l'intérêt, de la curiosité, de l'inquiétude et peut-être aussi un peu de compassion.

Il parla enfin.

– À partir d'aujourd'hui, à partir de ce moment, du moins en ce qui me concerne, c'est toi le dépositaire. Je suis dépositaire depuis longtemps. Depuis très, très longtemps. Ça se voit, non?

Jonas fit oui de la tête.

L'homme était ridé, et ses yeux, quoique perçants à cause de leur pâleur inhabituelle, semblaient fatigués. La peau autour des yeux formait des cercles d'une couleur plus sombre.

– On voit que vous êtes très âgé, répondit Jonas avec respect car on accordait toujours aux anciens le plus grand respect.

L'homme sourit. Il tâta la peau flétrie de son visage d'un air amusé.

– En fait, je ne suis pas aussi vieux que j'en ai l'air, dit-il à Jonas. Ce travail m'a vieilli prématurément. Je sais qu'à me voir on dirait que je suis bon à être très prochainement élargi. Mais en réalité il me reste un bon bout de temps devant moi. Je suis content, pourtant, qu'on t'ait sélectionné. Cela leur a pris longtemps. L'échec de la sélection précédente était il y a dix ans, et mon énergie commence à diminuer. J'ai besoin de la force qu'il me reste pour te former. Un travail dur et douloureux nous attend, toi et moi. Assieds-toi, je t'en prie, ajouta-t-il en indiquant le siège qui se trouvait à côté.

Jonas s'installa dans le fauteuil moelleux et rembourré.

L'homme ferma les yeux et continua à parler.

— C'est dans cette même pièce que je suis venu pour commencer ma formation. Cela fait si longtemps ! Le dépositaire précédent me paraissait aussi âgé que je te parais âgé maintenant. Il était aussi fatigué que je le suis aujourd'hui.

Soudain il se redressa, ouvrit les yeux et dit :

— Tu peux me poser des questions. J'ai tellement peu l'habitude de décrire ce processus. Il est défendu d'en parler.

— Je sais, monsieur. J'ai lu les consignes, dit Jonas.

— Il se peut donc que je n'explique pas les choses aussi clairement qu'il le faudrait.

L'homme émit un petit gloussement.

— Mon poste est important et éminemment honorifique. Mais cela ne veut pas dire que je suis parfait, et quand j'ai essayé par le passé de former un successeur, j'ai échoué. N'hésite pas à poser n'importe quelles questions qui peuvent t'aider.

Dans sa tête, Jonas avait des tas de questions. Un millier. Un million de questions. Autant de questions que de livres sur les murs. Mais il n'en posa aucune, pas pour l'instant.

L'homme soupira, remettant apparemment de l'ordre dans ses idées.

— Pour dire les choses simplement, bien que cela ne soit vraiment pas simple du tout, ma tâche consiste à te transmettre tous les souvenirs que j'ai en moi. Les souvenirs du passé.

— Monsieur, hasarda Jonas, cela m'intéresserait beaucoup d'entendre l'histoire de votre vie et d'écouter vos souvenirs. Je vous demande pardon de vous avoir interrompu, ajouta-t-il rapidement.

L'homme eut un geste d'impatience.

– Pas d'excuses dans cette pièce. Nous n'avons pas le temps.

– Eh bien, continua Jonas, mal à l'aise à l'idée qu'il pût être encore en train de l'interrompre, ça m'intéresse vraiment, je ne veux pas dire que ça ne m'intéresse pas. Mais je ne comprends pas bien pourquoi c'est tellement important. Je pourrais avoir un métier d'adulte dans la communauté, et pendant mes moments de loisir je pourrais venir écouter les histoires de votre enfance. Ça me plairait. En fait, ajouta-t-il, je l'ai déjà fait, à la Maison des anciens. Les anciens aiment parler de leur enfance et c'est toujours amusant de les écouter.

L'homme secoua la tête.

– Non, non, dit-il. Je me fais mal comprendre. Ce n'est pas mon passé, ce n'est pas mon enfance que je dois te transmettre.

Il s'adossa, reposant la tête sur le dossier de son fauteuil.

– Ce sont les souvenirs du monde entier, dit-il dans un soupir. Avant toi, avant moi, avant le dépositaire précédent, et des générations avant lui.

Jonas fronça les sourcils.

– Du monde entier ? demanda-t-il. Je ne comprends pas. Vous voulez dire pas seulement nous ? Pas seulement la communauté ? Vous voulez dire Ailleurs, aussi ?

Il essayait de saisir le concept en esprit.

– Je suis désolé, monsieur. Je ne comprends pas exactement. Peut-être que je ne suis pas assez intelligent. Je ne comprends pas ce que vous voulez dire quand vous dites « le monde entier » ou « des générations avant lui ».

Je croyais qu'il n'y avait que nous. Je croyais qu'il n'y avait que maintenant.

— Il y a beaucoup plus. Il y a tout ce qui va au-delà — tout ce qui est Ailleurs — et tout ce qui remonte avant, bien bien avant. J'ai reçu tout cela quand j'ai été sélectionné. Et ici, dans cette pièce, tout seul, j'en refais l'expérience encore et encore. C'est ainsi que vient la sagesse. Et que nous forgeons notre avenir.

Il se reposa pendant un instant, respirant profondément.

— Tout cela me pèse tellement, dit-il.

Jonas ressentit soudain une grande compassion pour cet homme.

— C'est comme si…

L'homme s'interrompit, apparemment à la recherche des mots exacts.

— C'est comme dévaler une montagne en luge quand la neige est profonde, dit-il finalement. Au début c'est excitant : la vitesse, l'air vif et frais ; et puis la neige s'accumule, elle s'amoncelle sur les patins et tu ralentis, tu dois pousser fort pour continuer à avancer et…

Il redressa soudain la tête et fixa Jonas du regard.

— Ça ne te dit rien, n'est-ce pas ?

Jonas était troublé.

— Je n'ai pas compris, monsieur.

— Bien sûr que tu n'as pas compris. Tu ne sais pas ce qu'est la neige, n'est-ce pas ?

Jonas secoua la tête.

— Ni une luge ? Ni des patins ?

— Non, monsieur, répondit Jonas.

— Dévaler une montagne ? Cette expression ne te dit rien ?

— Rien, monsieur.

— Eh bien, on peut partir de là. Je me demandais comment commencer. Va vers le lit et allonge-toi sur le ventre. Enlève d'abord ta tunique.

Jonas fit ce qu'on lui disait, légèrement inquiet. Sous sa poitrine nue, il sentait la douceur du somptueux tissu qui couvrait le lit. Il vit l'homme se lever et se diriger d'abord vers le mur où se trouvait le haut-parleur. C'était le même type de haut-parleur que celui qui avait sa place dans chaque habitation, mais il y avait une différence. Celui-ci comportait un bouton, que l'homme tourna d'une main experte pour le mettre en position « FERMÉ ».

Jonas en suffoqua presque. Avoir le pouvoir de fermer le haut-parleur ! C'était une chose ahurissante.

Puis l'homme se dirigea avec une rapidité surprenante vers le coin où se trouvait le lit. Il s'assit sur une chaise près de Jonas, qui ne bougeait pas, attendant la suite des événements.

— Ferme les yeux. Détends-toi. Ça ne va pas faire mal.

Jonas se rappela qu'il était autorisé, qu'on l'avait même encouragé à poser des questions.

— Qu'est-ce que vous allez faire, monsieur ? demanda-t-il en espérant que sa voix ne trahissait pas sa nervosité.

— Je vais te transmettre le souvenir de la neige, répondit le vieil homme, et il plaça ses mains sur le dos nu de Jonas.

11

Au début, Jonas ne ressentit rien de particulier. Il sentait seulement le léger contact des mains du vieil homme sur son dos.

Il essaya de se détendre et de respirer régulièrement. La pièce était plongée dans le silence, et pendant un instant Jonas craignit de se couvrir de honte en s'endormant le premier jour de sa formation.

Puis il frissonna. Il prit conscience que le contact des mains était brusquement devenu froid. Au même instant, en inspirant, il sentit l'air changer et sa propre haleine se refroidir. Il se lécha les lèvres et ce faisant sa langue vint au contact de l'air soudain glacé.

C'était très surprenant ; mais il n'avait plus peur du tout. Il était plein d'énergie et il inspira de nouveau, sentant l'air glacial pénétrer dans ses poumons. Maintenant, il sentait également l'air froid tournoyer tout autour de lui. Il le sentit souffler sur ses mains, qui reposaient le long de son corps, et sur son dos.

Le contact des mains du vieil homme semblait avoir disparu.

Soudain, il prit conscience d'une sensation entièrement neuve : des piqûres d'aiguilles ? Non, car c'était doux et ça ne faisait pas mal. Son corps et son visage étaient assaillis par ces sensations qui faisaient penser à de petites plumes froides. Il tira de nouveau la langue et attrapa un de ces bouts de froid. Il disparut instantanément, mais il en attrapa un autre, puis un autre. La sensation le fit sourire.

Une partie de sa conscience savait qu'il était toujours là, allongé sur le lit, dans l'Annexe. Pourtant une autre partie différente de son être s'était maintenant redressée dans la position assise ; il ne sentait plus sous lui le drap de lit brodé et moelleux, mais au contraire une surface plate et rigide. Ses mains tenaient maintenant (alors qu'elles restaient en même temps posées le long de son corps) une grosse corde humide.

Et il voyait, bien que ses yeux fussent fermés. Il voyait un torrent brillant de cristaux tourbillonner dans l'air qui l'entourait et s'amasser comme une fourrure froide sur le dos de ses mains.

Il pouvait voir son haleine.

Au-delà, à travers le tourbillon de ce qu'il percevait maintenant, sans savoir pourquoi, comme étant la chose dont le vieil homme avait parlé – la neige –, il voyait au loin. Il se trouvait quelque part en hauteur. Le sol était recouvert d'une épaisse fourrure de neige mais Jonas était légèrement surélevé, assis sur un objet dur et plat.

Une luge, comprit-il soudain. Il était assis sur une chose qui s'appelait « luge ». Et la luge semblait être en équilibre au sommet d'un grand monticule qui s'élevait à partir du sol même où il se trouvait. Et alors qu'il pensait « monticule », sa nouvelle conscience lui dicta « montagne ».

Puis la luge et Jonas se mirent à avancer à travers la neige et il comprit instantanément qu'il allait se mettre à dévaler la pente. Aucune voix ne le lui expliqua. L'expérience s'expliqua d'elle-même.

Son visage se mit à fendre l'air glacial et il entama la descente à travers cette substance appelée neige sur l'engin appelé luge, lequel se propulsait sur ce qu'il savait maintenant sans hésitation être des patins.

Saisissant tout cela tandis qu'il dévalait la pente, il était libre d'apprécier le sentiment de jubilation qui l'envahissait jusqu'à lui couper le souffle : la vitesse, l'air vif et pur, le silence total, la sensation d'équilibre, d'exaltation et de paix.

Puis l'inclinaison de la pente diminua, le monticule – la montagne – s'aplanit et la luge ralentit sa progression. Il y avait maintenant de la neige entassée tout autour et Jonas accompagnait le mouvement de la luge avec son corps, afin que l'ivresse de la descente se poursuive.

Finalement, la neige s'accumula au point de faire obstruction aux patins effilés de la luge et il s'arrêta. Il resta là un moment, haletant, la corde dans ses mains froides. Il se hasarda à ouvrir les yeux – pas ses yeux de la montagne et de la luge, car ceux-là étaient restés ouverts pendant toute la descente. Il ouvrit ses yeux ordinaires et vit qu'il était toujours sur le lit, qu'il n'avait pas bougé du tout.

Le vieil homme, toujours près de lui, le regardait.

– Comment te sens-tu ? demanda-t-il.

Jonas s'assit et s'efforça de répondre avec honnêteté.

– Étonné, répondit-il après un moment.

Le vieil homme essuya son front avec sa manche.

– Ouf! fit-il. C'était épuisant. Mais tu sais, te transmettre ne serait-ce que ce petit souvenir, je crois que ça m'a retiré un poids.

– Vous voulez dire… vous aviez bien dit que je pouvais vous poser des questions ?

L'homme l'encouragea d'un signe de tête à poursuivre.

– Vous voulez dire que maintenant vous n'avez plus ce souvenir, le souvenir de la descente en luge ?

– C'est vrai. Un petit poids en moins pour mon vieux corps.

– Mais c'était tellement bien ! Et maintenant vous ne l'avez plus ! C'est moi qui vous l'ai pris !

Le vieil homme rit.

– Je ne t'ai transmis qu'une seule descente, sur une luge, dans une neige, sur une montagne. J'en ai tout un monde dans ma mémoire. Je pourrais te les transmettre une à une, un millier de fois, qu'il en resterait encore.

– Vous voulez dire que je… je veux dire que nous pourrions le refaire ? demanda Jonas. J'aimerais vraiment beaucoup. Je pense que je pourrais diriger la luge en tirant sur la corde. Je n'ai pas essayé cette fois-ci parce que c'était tellement neuf.

Le vieil homme secoua la tête en riant.

– Peut-être une autre fois, pour se faire plaisir. Mais en vérité nous n'avons pas le temps de nous amuser. Je voulais juste commencer par te montrer comment cela marchait. Maintenant, reprit-il d'un ton sérieux, recouche-toi. Je veux…

Jonas se recoucha. Il était impatient de voir ce qui allait suivre. Mais il avait soudain tellement de questions à poser.

– Pourquoi n'avons-nous pas de neige, ni de luges, ni de montagnes ? demanda-t-il. Et quand est-ce qu'on en avait ? Est-ce que mes parents avaient une luge quand ils étaient petits ? Est-ce que vous en aviez ?

Le vieil homme haussa les épaules et lâcha un petit rire.

– Non, dit-il à Jonas. C'est un souvenir très lointain. C'est pour ça que c'était si fatigant : j'ai dû lui faire traverser beaucoup de générations. On me l'a donné quand je suis devenu le nouveau dépositaire, et le dépositaire précédent avait dû, lui aussi, le faire remonter de très loin.

– Mais qu'est-il arrivé à toutes ces choses ? À la neige, et à tout le reste ?

– Le contrôle climatique. La neige rendait les cultures difficiles, elle limitait les périodes agricoles. Et l'irrégularité du temps rendait parfois les transports impossibles. Ce n'était pas pratique et c'est tombé en désuétude quand nous en sommes venus à l'Identique. Et les montagnes aussi, ajouta-t-il. Elles rendaient les transports peu commodes. Les camions, les bus, ça les ralentissait. Et donc...

Il agita la main, comme si c'était un geste de ce type qui avait entraîné la disparition des montagnes.

– ... L'Identique, conclut-il.

Jonas fronça les sourcils.

– J'aimerais bien qu'on ait encore ces choses-là. Juste de temps en temps.

Le vieil homme sourit.

– Moi aussi, dit-il. Mais ce choix ne dépend pas de nous.

– Mais monsieur, suggéra Jonas, puisque vous avez tant de pouvoir...

L'homme le reprit.

– De prestige, dit-il fermement. J'ai beaucoup de prestige. Et toi aussi tu en auras. Mais tu apprendras que ce n'est pas la même chose que du pouvoir. Tiens-toi tranquille maintenant. Puisque nous avons abordé la question du climat, je vais te transmettre autre chose. Et cette fois je ne vais pas te dire comment ça s'appelle parce que je veux tester ta capacité à recevoir. Tu devrais pouvoir percevoir le nom sans qu'on te le dise. J'ai vendu la mèche avec la neige, la luge, la montagne et les patins en te les disant à l'avance.

Sans qu'on le lui demande, Jonas ferma les yeux de nouveau. Il sentit de nouveau les mains sur son dos. Il attendit.

Cette fois-ci, les sensations vinrent plus vite. Cette fois-ci, les mains ne devinrent pas froides, mais au contraire il sentit leur chaleur contre son corps. Elles devinrent un peu moites. La chaleur se répandit, atteignit les épaules, le cou, jusqu'au côté de son visage. Il la sentait aussi à travers son pantalon ; c'était une sensation agréable, sur tout son corps ; et quand il se lécha les lèvres cette fois-ci, l'air était chaud et lourd.

Il ne bougea pas. Il n'y avait pas de luge. Il ne changea pas de position. Il était juste dehors, quelque part, seul, allongé sur le ventre, et la chaleur venait d'en haut. Ce n'était pas aussi excitant que la descente à travers l'air enneigé ; mais c'était agréable et ça faisait du bien.

Brusquement, il en saisit le nom : le soleil. Il saisit que cela venait du ciel.

Puis ce fut la fin.

— Le soleil, dit-il à voix haute en ouvrant les yeux.

— Bien. Donc tu as perçu le nom. Cela rend ma tâche plus facile. J'aurai moins de choses à expliquer.

— Et cela venait du ciel.

— C'est juste, dit le vieil homme. C'était comme ça dans le temps.

— Avant l'Identique. Avant le contrôle climatique, ajouta Jonas.

L'homme rit.

— Tu reçois bien et tu apprends vite. Je suis très content de toi. Je pense que c'est assez pour aujourd'hui. Ça s'annonce bien.

Une question turlupinait Jonas.

— Monsieur, dit-il, la grande sage m'a dit — elle l'a dit à tout le monde, et vous aussi vous me l'avez dit — que ce serait douloureux. Et j'avais un peu peur. Mais ça ne m'a pas fait mal du tout. Ça m'a beaucoup plu.

Il fixa le vieil homme d'un air interrogateur.

L'homme soupira.

— J'ai commencé par des souvenirs de plaisir. Mon échec précédent m'a appris à procéder ainsi.

Il inspira profondément plusieurs fois.

— Jonas, dit-il, ce sera douloureux. Mais cela n'a pas besoin de l'être tout de suite.

— Je suis courageux. Vraiment.

Jonas se redressa un peu.

Le vieil homme le regarda pendant un moment. Il sourit.

— Je sais, dit-il. Eh bien, puisque tu l'as demandé, je pense que j'ai suffisamment d'énergie pour encore une transmission. Allonge-toi encore une fois. Ce sera la dernière pour aujourd'hui.

Jonas obéit gaiement. Il attendit, les yeux fermés, et sentit de nouveau les mains ; puis il sentit de nouveau la chaleur, de nouveau le soleil, venu du ciel de cette nouvelle conscience si insolite pour lui. Cette fois, tandis qu'il se dorait à cette délicieuse chaleur, il perçut le passage du temps. Son vrai moi savait bien qu'il ne se passait qu'une minute ou deux, mais son autre moi récepteur-de-souvenir sentit que des heures s'écoulaient au soleil. Sa peau commença à le brûler. Il plia le bras d'un geste brusque et ressentit une vive douleur au niveau du coude.

– Aïe! fit-il à voix haute en changeant de position. Ouille... aïe... aïe! reprit-il car le mouvement le faisait grimacer de douleur et même le fait de bouger les lèvres pour parler lui faisait mal.

Il savait qu'il y avait un mot mais la douleur l'empêchait de le saisir.

Puis cela s'arrêta. Il ouvrit les yeux en grimaçant.

– Ça m'a fait mal, dit-il à l'homme, et je n'ai pas pu saisir le nom.

– C'était un coup de soleil, lui répondit le vieil homme.

– Ça m'a fait vraiment mal, reprit Jonas, mais je suis content que vous me l'ayez donné. C'était intéressant. Et je comprends mieux, maintenant, ce que ça voulait dire quand vous disiez que ce serait douloureux.

L'homme ne répondit pas. Il resta silencieux un instant. Finalement il lui dit:

– Lève-toi maintenant. Il est temps de rentrer chez toi.

Ils revinrent tous les deux au centre de la pièce. Jonas remit sa tunique.

– Au revoir, monsieur, dit-il. Merci pour ma première journée.

Le vieil homme hocha la tête. Il avait l'air vidé et un peu triste.

– Monsieur? demanda Jonas timidement.

– Oui? Tu as une question à poser?

– C'est juste que je ne connais pas votre nom. Je pensais que vous étiez le dépositaire, mais vous dites que c'est moi maintenant le dépositaire. Je ne sais donc pas comment vous appeler.

L'homme s'était rassis dans le fauteuil rembourré. Il remua les épaules comme pour se débarrasser d'une sensation douloureuse. Il avait l'air affreusement las.

– Appelle-moi le passeur, dit-il à Jonas.

12

— Tu as bien dormi, Jonas ? demanda sa mère au repas du matin. Pas de rêves ?

Jonas se contenta de sourire et d'acquiescer, ne voulant ni mentir ni dire la vérité.

— J'ai très bien dormi, répondit-il.

— J'aimerais bien que celui-ci en fasse autant, dit son père en se penchant pour attraper la main que Gabriel lui tendait.

Le couffin était posé sur le sol à côté de lui. Dans un coin, près de la tête de l'enfant, l'hippopotame en peluche les fixait de ses yeux vides.

— Moi aussi, fit maman en levant les yeux au ciel. Il s'agite tellement pendant la nuit.

Jonas n'avait pas entendu le nouveau-né cette nuit parce que, comme d'habitude, il avait effectivement bien dormi. Mais ce n'était pas vrai qu'il n'avait pas rêvé.

Toute la nuit, dans son sommeil, il avait dévalé la montagne enneigée. À chaque fois, dans son rêve, c'était comme s'il y avait une destination : quelque chose — il n'arrivait pas à saisir quoi — au-delà de l'endroit où la neige amoncelée obligeait la luge à s'arrêter.

Au réveil, il conserva le sentiment qu'il avait envie, et

même qu'il avait d'une certaine manière besoin, d'atteindre ce quelque chose qui l'attendait au loin. Le sentiment que c'était bien. Que c'était accueillant. Que c'était important.

Mais il ne savait pas comment y arriver.

Il se mit à rassembler ses affaires et à se préparer pour la journée, s'efforçant de balayer les restes de son rêve.

L'école lui sembla un peu différente ce jour-là. Les cours étaient les mêmes : langage et communication ; commerce et industrie ; science et technologie ; procédures civiles et gouvernement. Mais pendant les récréations et le repas de midi, le brouhaha régnait parmi les autres douze-ans occupés à décrire leur premier jour de formation. Ils parlaient tous à la fois, s'interrompant les uns les autres, prononçant à la hâte l'excuse consacrée, puis oubliant de nouveau dans l'excitation de partager leurs nouvelles expériences.

Jonas écoutait. Il gardait très présente à l'esprit l'interdiction qui lui était faite de parler de sa formation. Mais cela aurait été impossible de toute façon. Il n'avait aucun moyen de décrire à ses amis les expériences qu'il avait faites dans l'Annexe. Comment décrire une luge sans décrire une montagne et la neige ; et comment décrire une montagne et la neige à quelqu'un qui n'avait jamais connu l'altitude, ni le vent, ni ce froid duveteux et magique ?

Même quand on avait été formé pendant des années, comme ils l'étaient tous, à la précision du langage, quels mots pouvait-on utiliser pour transmettre à quelqu'un d'autre l'expérience du soleil ?

Il fut donc facile à Jonas de se tenir coi et d'écouter.

Après l'école, il retourna en compagnie de Fiona à la Maison des anciens.

— Je t'ai cherché hier, lui dit-elle tandis qu'ils pédalaient, pour qu'on rentre ensemble. Ton vélo était encore là et je t'ai attendu un peu. Mais il commençait à être tard et je suis partie.

— Je te demande pardon de t'avoir fait attendre, dit Jonas.

— J'accepte tes excuses, répondit-elle automatiquement.

— Je suis resté un peu plus longtemps que je ne le pensais, expliqua Jonas.

Elle continua à pédaler en silence, et il savait qu'elle attendait qu'il lui dise pourquoi. Elle attendait qu'il lui décrive son premier jour de formation. Mais poser la question aurait été tomber dans la catégorie de l'impolitesse.

— Tu as fait tellement d'heures de bénévolat chez les anciens, dit Jonas en changeant de sujet. Il n'y aura pas grand-chose que tu ne saches déjà.

— Oh! il y a beaucoup à apprendre, répliqua Fiona. Il y a tout le travail administratif, et les règles alimentaires, les punitions en cas de désobéissance — savais-tu qu'ils utilisent une baguette disciplinaire pour les anciens, la même que pour les petits enfants? Et puis il y a la thérapie occupationnelle, les activités de loisir, les médicaments, et…

Ils freinèrent car ils venaient d'atteindre le bâtiment.

— Je pense vraiment que ça me plaira davantage que l'école, avoua Fiona.

— Moi aussi, acquiesça Jonas en rangeant son vélo à sa place.

Elle s'arrêta un instant comme si, encore une fois, elle attendait qu'il poursuive. Puis elle regarda sa montre, lui fit signe de la main et se hâta vers la porte d'entrée.

Jonas resta un moment près de son vélo, stupéfait. Elle venait encore d'arriver, cette chose qu'il identifiait maintenant comme « voir-au-delà ». Cette fois, c'était Fiona qui avait subi ce changement fugace et indescriptible. C'était arrivé tandis qu'il la regardait s'éloigner et monter les marches : elle avait changé. *En fait*, pensa Jonas tout en cherchant à recréer la scène dans son esprit, *ce n'était pas Fiona dans son ensemble*. Il lui semblait que c'étaient juste ses cheveux. Et juste pendant cet instant fugace.

Il récapitula. C'était clair que cela lui arrivait de plus en plus souvent. D'abord avec la pomme, quelques semaines auparavant. La fois suivante, c'étaient les visages dans l'Auditorium, juste deux jours plus tôt. Et maintenant les cheveux de Fiona.

Le front plissé, Jonas se dirigea vers l'Annexe. Je vais demander au passeur, décida-t-il.

Le vieil homme leva la tête et sourit quand Jonas entra dans la pièce. Il était déjà assis auprès du lit et semblait avoir davantage d'énergie aujourd'hui, comme revigoré et content de voir Jonas.

— Bienvenue, dit-il. Nous devons commencer. Tu as une minute de retard.

— Je vous dem… commença Jonas en s'interrompant aussitôt, troublé à l'idée qu'il ne fallait pas s'excuser.

Il ôta sa tunique et se dirigea vers le lit.

— J'ai une minute de retard parce qu'il s'est passé quelque chose, expliqua-t-il. Et j'aimerais vous poser une question à ce sujet, si ça ne vous ennuie pas.

— Tu peux me demander n'importe quoi.

Jonas essaya de mettre de l'ordre dans ses idées afin d'expliquer clairement le phénomène.

— Je crois qu'il s'agit de ce que vous appelez « voir-au-delà », fit-il.

Le passeur acquiesça.

— Décris-moi ce qui arrive.

Jonas lui parla de l'expérience de la pomme. Puis le moment où, de la scène, il avait vu le même phénomène se produire sur les visages de l'assistance.

— Et aujourd'hui, juste là, dehors, ça s'est passé avec mon amie Fiona. Elle-même n'a pas exactement changé. Mais quelque chose chez elle a changé, pendant une seconde. Ses cheveux ont eu l'air différents, mais pas en forme, ni en longueur. Je n'arrive pas à…

Jonas s'arrêta, frustré de ne pas parvenir à saisir ni à décrire exactement ce qui s'était passé. Il finit par dire simplement :

— Ils ont changé. Je ne sais pas comment ni pourquoi. C'est pour ça que j'avais une minute de retard, conclut-il en regardant le passeur d'un air interrogateur.

À sa surprise, le vieil homme lui posa une question apparemment sans rapport avec le fait de voir au-delà.

— Quand je t'ai transmis le souvenir hier, le premier, la descente en luge, est-ce que tu as regardé autour de toi ?

Jonas acquiesça.

— Oui, dit-il, mais le truc, je veux dire la neige dans l'air empêchait de voir.

— Est-ce que tu as regardé la luge ?

Jonas réfléchit.

— Non. Je l'ai juste sentie sous moi. J'en ai aussi rêvé la nuit dernière. Mais je ne me rappelle pas avoir vu la luge en rêve non plus. Juste sentie.

Le passeur semblait pensif.

— Quand je t'observais, avant la sélection, j'ai senti que tu avais probablement cette capacité et ce que tu dis le confirme. Cela s'était passé un peu différemment avec moi. Quand j'avais ton âge – juste avant de devenir le nouveau dépositaire –, ça a commencé à m'arriver, quoique sous une forme différente. Avec moi, c'était… Non, je ne te le décrirai pas maintenant, tu ne comprendrais pas encore. Mais je crois pouvoir imaginer comment cela se passe pour toi. Laisse-moi faire un petit test pour confirmer mon hypothèse. Allonge-toi.

Jonas se coucha sur le lit, les mains le long du corps. Il s'y sentait bien, maintenant. Il ferma les yeux et attendit de sentir le contact familier des mains du passeur sur son dos.

Mais le contact ne vint pas. Au lieu de cela, le passeur lui ordonna :

— Remémore-toi le souvenir de la descente en luge. Le début seulement, quand tu es au sommet de la montagne, avant de commencer à glisser. Et cette fois, regarde la luge.

Jonas était perplexe. Il ouvrit les yeux.

— Excusez-moi, demanda-t-il poliment, mais est-ce que ce n'est pas vous qui devez me transmettre le souvenir ?

— Il est à toi maintenant. Il ne m'appartient plus. Je te l'ai donné.

— Mais comment est-ce que je peux me le remémorer ?

— Tu peux te souvenir de l'an dernier ou de quand tu étais un sept-ans ou un cinq-ans, non ?

— Bien sûr.

— C'est à peu près pareil. Tout le monde dans la communauté a des souvenirs sur une génération comme ceux-ci. Mais maintenant tu vas être capable d'aller plus loin en arrière. Essaie. Concentre-toi.

Jonas referma les yeux. Il inspira profondément et se mit à chercher la luge, la montagne et la neige dans sa conscience.

Et voilà, ils étaient là, sans effort. Il était de nouveau assis au milieu du tourbillon de flocons au sommet de la montagne.

Jonas sourit jusqu'aux oreilles de plaisir et souffla pour voir son haleine embuée. Puis, comme on le lui avait dit, il baissa les yeux. Il vit ses mains, couvertes de nouveau d'un manteau de fourrure de neige, qui tenaient la corde. Il vit ses jambes et les écarta pour jeter un coup d'œil à la luge qui se trouvait sous lui. Il la contempla, sidéré. Cette fois, ce n'était pas une impression fugace. Cette fois, la luge avait – et continuait d'avoir, tandis qu'il clignait des yeux et la regardait de nouveau – cette même qualité mystérieuse que la pomme avait eue si brièvement. Et que les cheveux de Fiona. La luge ne changea pas. Elle était juste... cette chose, quelle qu'elle fût.

Jonas ouvrit les yeux ; il était toujours sur le lit. Le passeur le regardait avec curiosité.

– Oui, dit Jonas lentement. Je l'ai vu, sur la luge.

– Je vais essayer encore une chose. Regarde les étagères, là-bas. Tu vois les livres tout là-haut, ceux qui sont derrière la table, la dernière rangée ?

Jonas les chercha du regard. Il les fixa et ils changèrent. Mais le changement fut éphémère et s'évanouit l'instant d'après.

– Je l'ai vu, dit Jonas. Je l'ai vu sur les livres mais ça a disparu aussitôt.

– J'ai donc bien raison, dit le passeur. Tu commences à voir la couleur rouge.

– La quoi ?

Le passeur soupira.

– Comment expliquer ? Jadis, à l'époque de ces souvenirs, toutes les choses avaient une forme et une taille, comme elles en ont encore, mais elles avaient aussi une qualité appelée couleur. Il y avait beaucoup de couleurs, et l'une d'entre elles s'appelait le rouge. C'est celle que tu commences à voir. Fiona a les cheveux rouges – c'est très frappant d'ailleurs, je l'avais déjà remarqué. Quand tu as parlé de ses cheveux, c'est l'indice qui m'a fait penser que tu devais commencer à voir cette couleur.

– Et les visages ? Ceux que j'ai vus à la cérémonie ?

Le passeur secoua la tête.

– Non, la peau n'est pas rouge. Mais il y a du rouge dedans. En fait, il y avait une époque – tu le verras plus tard dans les souvenirs – où il existait beaucoup de couleurs de peau différentes. C'était avant qu'on en vienne à l'Identique. Aujourd'hui, les peaux sont toutes de la même couleur et ce que tu as vu c'est le ton rouge qu'il y a dedans. Quand tu as vu les visages en couleur, ce n'était probablement pas aussi profond ni vibrant que la pomme ou les cheveux de ton amie.

Le passeur émit brusquement un petit gloussement.

– On n'a jamais réussi à maîtriser complètement l'Identique. Je suppose que les généticiens travaillent dur encore pour éliminer les anomalies. Des cheveux comme ceux de Fiona doivent les rendre fous.

Jonas écoutait, s'efforçant de comprendre.

– Et la luge ? demanda-t-il. Elle avait cette chose-là,

la couleur rouge. Mais elle n'a pas changé, passeur. Elle l'avait, c'est tout.

— Parce que c'est un souvenir qui remonte à l'époque où on avait la couleur.

— C'était tellement... Oh ! j'aimerais que le langage soit plus précis ! C'était tellement beau, le rouge !

Le passeur acquiesça.

— C'est beau.

— Est-ce que vous le voyez tout le temps ?

— Je les vois toutes. Toutes les couleurs.

— Et moi, je les verrai ?

— Bien sûr. Quand tu auras les souvenirs. Tu as la capacité-à-voir-au-delà. Tu acquerras la sagesse, ainsi que les couleurs. Et encore beaucoup d'autres choses.

À ce moment précis la sagesse n'intéressait pas Jonas. C'étaient les couleurs qui le fascinaient.

— Pourquoi est-ce que tout le monde ne peut pas les voir ? Pourquoi est-ce que les couleurs ont disparu ?

Le passeur haussa les épaules.

— Nous avons fait ce choix, le choix d'en venir à l'Identique. Avant moi, avant la génération précédente, avant celle d'avant et ainsi de suite. Nous avons abandonné la couleur quand nous avons abandonné le soleil et supprimé les différences.

Il réfléchit un moment.

— Nous avons conquis le contrôle de beaucoup de choses. Mais nous avons dû en abandonner d'autres.

— Nous n'aurions pas dû ! dit Jonas d'un ton farouche.

Le passeur sembla saisi par la force de la réaction de Jonas. Puis il eut un sourire désabusé.

— Tu es parvenu bien vite à cette conclusion, dit-il.

Cela m'a pris de nombreuses années. Peut-être ta sagesse viendra-t-elle plus vite que la mienne.

Il jeta un œil à la pendule accrochée au mur.

– Recouche-toi maintenant. Nous avons beaucoup à faire.

– Passeur, demanda Jonas tout en se réinstallant sur le lit, comment cela s'est-il passé pour vous quand vous êtes devenu dépositaire ? Vous avez dit que le fait de voir au-delà vous était arrivé, mais différemment ?

Les mains se posèrent sur son dos.

– Une autre fois, dit doucement le passeur. Je te le raconterai une autre fois. Maintenant il faut travailler. Et j'ai pensé à un moyen de t'aider à saisir le concept de la couleur. Ferme les yeux et ne bouge plus. Je vais te transmettre le souvenir d'un arc-en-ciel.

13

Les jours et les semaines passèrent. Jonas apprit par le biais des souvenirs le nom des couleurs ; maintenant il commençait à toutes les voir dans sa vie ordinaire – bien qu'il sût que sa vie n'était plus ordinaire et qu'elle ne le serait jamais plus. Mais elles ne restaient pas. Il apercevait du vert : la pelouse aménagée autour de la place Centrale ou un buisson sur la berge de la rivière ; l'orange vif des citrouilles acheminées par camion depuis les espaces agricoles situés à l'extérieur de la communauté, entrevu un instant, un éclair de couleur qui disparaissait aussitôt et tout retrouvait la même teinte plate et sans nuances.

Le passeur lui dit que cela prendrait très longtemps avant que les couleurs ne restent.

– Mais je les veux ! dit Jonas en colère. Ce n'est pas juste que rien n'ait de couleur !

– Pas juste ?

Le passeur regarda Jonas avec curiosité.

– Explique-moi ce que tu veux dire.

– Eh bien…

Jonas dut s'arrêter pour réfléchir à la question.

– Si tout est pareil, on n'a plus le choix. Je veux pouvoir me lever le matin et faire des choix. Une tunique bleue ou une tunique rouge ?

Il baissa les yeux sur le tissu terne de son habit.

– Mais c'est toujours la même chose.

Puis il rit doucement.

– Je sais que ça n'a pas d'importance, ce que l'on porte. Cela ne compte pas. Mais…

– C'est le fait de choisir qui compte, n'est-ce pas ? lui demanda le passeur.

Jonas acquiesça.

– Mon petit frère… commença-t-il, mais il se reprit. Non, c'est inexact. Ce n'est pas vraiment mon petit frère. C'est un nouveau-né dont s'occupe ma famille, il s'appelle Gabriel.

– Oui, je suis au courant.

– Eh bien, il est juste à l'âge où il apprend plein de choses. Il attrape les jouets quand on les lui présente – mon père dit qu'il apprend le contrôle des muscles superficiels. Il est tellement mignon.

Le passeur approuva de la tête.

– Mais maintenant que je vois les couleurs, au moins parfois, je me dis : et si on lui présentait des objets qui étaient rouge vif ou jaune vif et s'il pouvait choisir ? Au lieu de l'Identique.

– Il pourrait faire le mauvais choix.

– Oh !

Jonas se tut un instant.

– Je vois ce que vous voulez dire. Ce ne serait pas grave pour un jouet d'enfant. Mais plus tard ça pourrait l'être, n'est-ce pas ? Nous ne pouvons pas prendre le risque de laisser les gens faire des choix.

– Ce serait dangereux ? suggéra le passeur.

– Tout à fait dangereux, répliqua Jonas avec assurance. Et si on les autorisait à choisir leur conjoint ? Et s'ils faisaient le mauvais choix ? Ou si, poursuivit-il en riant presque devant l'absurdité d'une telle hypothèse, ils choisissaient leur métier ?

– Ça fait peur, non ? dit le passeur.

Jonas gloussa.

– Très peur. Je ne peux même pas me l'imaginer. Nous devons vraiment empêcher les gens de faire des mauvais choix.

– C'est plus sûr.

– Oui, approuva Jonas. Beaucoup plus sûr.

Mais quand la conversation dériva sur d'autres sujets, elle laissa à Jonas un sentiment de frustration qu'il ne parvint pas à comprendre.

Il se mettait souvent en colère maintenant ; une colère irrationnelle contre ses camarades de groupe parce qu'ils se satisfaisaient de leurs vies qui n'avaient rien de l'intensité que la sienne était en train de connaître. Et il était en colère contre lui-même de ne rien pouvoir pour eux.

Il essaya. Sans demander la permission au passeur, parce qu'il craignait – ou savait – qu'elle lui serait refusée, il essaya de communiquer sa nouvelle conscience à ses amis.

– Asher, dit Jonas un matin, regarde bien ces fleurs.

Ils se tenaient à côté d'une plate-bande de géraniums, près de la Grande Salle des Registres publics. Il posa les mains sur les épaules d'Asher et se concentra sur le rouge des pétales, s'efforçant de le retenir le plus longtemps possible et en même temps de transmettre la conscience du rouge à son ami.

– Qu'est-ce qui se passe ? demanda Asher, mal à l'aise. Y a quelque chose qui ne va pas ?

Il se dégagea des mains de Jonas. C'était extrêmement malpoli pour un citoyen d'en toucher un autre en dehors de la cellule familiale.

– Non, rien. J'ai cru un instant qu'elles étaient en train de se faner et qu'il fallait prévenir l'équipe de jardinage de les arroser davantage.

Jonas soupira et s'éloigna.

Un soir, il revint de sa formation alourdi par un nouveau savoir. Le passeur avait choisi ce jour-là un souvenir troublant. Au contact de ses mains, Jonas s'était brusquement retrouvé dans un endroit complètement étranger : un endroit chaud et balayé par le vent sous un grand ciel bleu. On voyait des touffes d'herbe éparses, quelques buissons, quelques pierres ; un peu plus loin, une zone de végétation plus épaisse avec des arbres courts et massifs qui se dessinaient sur le ciel. Il entendait des bruits : des détonations – il perçut le mot fusil – et puis des cris, et l'énorme bruit sourd de quelque chose qui tombait en arrachant les branches des arbres.

Il entendit des voix qui appelaient. Scrutant la scène depuis les arbustes derrière lesquels il se tenait caché, il se rappela que le passeur lui avait dit qu'à une époque les peaux étaient de couleurs variées. Deux des hommes ici présents avaient la peau foncée ; les autres étaient clairs. En se rapprochant, il les vit arracher à coups de hache les défenses d'un éléphant qui gisait sans vie sur le sol et les emporter, couvertes de sang. Jonas se sentit submergé par une nouvelle perception de la couleur rouge.

Puis les hommes disparurent rapidement derrière

l'horizon dans un véhicule dont les roues tournaient à toute vitesse en propulsant des petits cailloux. L'un d'eux vint le frapper au front et le blessa. Mais le souvenir se poursuivait, quoique Jonas souhaitât maintenant de tout son cœur qu'il s'arrêtât.

Jonas vit alors un autre éléphant émerger de derrière les arbres où il était caché. Cet éléphant se dirigea très lentement vers le corps mutilé et le contempla. Il caressa l'énorme cadavre de sa trompe sinueuse, puis il se redressa, cassa quelques branches feuillues qui émirent un craquement sec et en recouvrit la grosse masse de chair ensanglantée. Enfin, l'éléphant pencha sa tête énorme de côté, leva la trompe et barrit dans le paysage désert. Jonas n'avait jamais entendu un son pareil. C'était un cri de rage et de douleur qui semblait ne devoir jamais s'arrêter.

Jonas l'entendait encore quand il ouvrit les yeux et se retrouva, angoissé, sur le lit où il recevait les souvenirs. Le cri résonnait toujours dans sa tête tandis qu'il pédalait lentement sur le chemin du retour.

– Lily, demanda-t-il ce soir-là à sa sœur qui prenait l'éléphant en peluche, son objet de bien-être, sur l'étagère, tu savais que dans le temps il y avait vraiment des éléphants ? Des éléphants vivants ?

Elle jeta un œil à l'objet de bien-être tout élimé et sourit jusqu'aux oreilles.

– C'est ça, dit-elle d'un ton sceptique. Bien sûr, Jonas.

Jonas s'assit auprès d'eux pendant que son père dénouait les rubans de Lily et lui brossait les cheveux. Jonas plaça une main sur l'épaule de chacun d'eux. Il s'efforça de tout son être de leur donner un élément du souvenir ; pas du cri torturé de l'éléphant, mais de l'essence de l'éléphant, de cette bête énorme et imposante et de la délicatesse avec laquelle elle s'était occupée de son compagnon à la fin.

Mais son père avait continué à brosser les longs cheveux de Lily, et Lily s'était dégagée de l'étreinte de son frère avec un mouvement d'humeur.

— Jonas, dit-elle, tu me fais mal avec ta main.

— Je te demande pardon de t'avoir fait mal, marmonna Jonas en retirant sa main.

— J'accepte tes excuses, répondit Lily d'un ton indifférent en caressant l'éléphant sans vie.

— Passeur, demanda un jour Jonas alors qu'ils s'apprêtaient à se mettre au travail, vous n'avez pas d'épouse ? Vous n'avez pas le droit d'en demander une ?

Bien qu'il fût exempté des lois concernant la politesse, il savait bien que c'était une question impolie. Mais le passeur l'encourageait à poser des questions et ne semblait jamais embarrassé ni offensé, même par les plus personnelles d'entre elles.

Le passeur pouffa.

— Non, il n'y a pas de loi qui l'interdise. Et j'avais une épouse. Tu oublies que je suis vieux, Jonas. Mon ancienne épouse vit maintenant avec les adultes-sans-enfants.

— Oh ! bien sûr.

Jonas avait effectivement oublié l'âge du passeur. Quand les adultes de la communauté vieillissaient, leurs vies changeaient. On n'avait plus besoin d'eux pour créer des cellules familiales. Les parents de Jonas aussi, quand Lily et lui seraient grands, iraient vivre parmi les adultes-sans-enfants.

— Tu pourras demander une épouse, Jonas, si tu le souhaites. Mais je t'avertis que cela sera difficile. L'organisation de votre vie devra être différente de celle de la plupart des cellules familiales parce que les livres sont interdits aux citoyens. Seuls toi et moi y avons accès.

Jonas jeta un regard circulaire à l'impressionnante collection de livres. De temps à autre, maintenant, il apercevait leurs couleurs. Toutes les heures qu'ils passaient ensemble étaient occupées à discuter et à transmettre des souvenirs, et Jonas n'avait encore ouvert aucun livre. Mais il lisait un titre par-ci par-là et savait que ces volumes contenaient des siècles de savoir et qu'un jour ils lui appartiendraient.

— Donc si j'ai une épouse, et peut-être des enfants, je devrai leur cacher les livres ?

Le passeur acquiesça.

— Je n'avais pas le droit de partager mes livres avec mon épouse, c'est exact. Et il y a aussi d'autres problèmes. Tu te souviens de la règle qui stipule que le nouveau dépositaire ne peut pas parler de sa formation ?

Jonas hocha la tête. Bien entendu qu'il s'en souvenait. Elle s'était avérée de loin la plus pénible de toutes les règles qu'il devait suivre.

— Quand tu deviendras le dépositaire officiel, quand nous aurons terminé notre travail, on te donnera un ensemble de nouvelles règles. Ce sont les règles que je suis. Et cela ne te surprendra pas d'apprendre que je n'ai pas le droit de parler de mon travail à quiconque, excepté au nouveau dépositaire. C'est-à-dire à toi. Il y aura donc toute une partie de ta vie que tu ne pourras pas partager avec ta famille. C'est dur, Jonas. C'était dur pour moi.

Tu comprends, n'est-ce pas, que c'est ça ma vie ? Les souvenirs ?

Jonas hocha de nouveau la tête, mais il était perplexe. La vie ne consistait-elle pas en des actes qu'on fait tous les jours ? À part ça, il n'y avait vraiment pas grand-chose.

— Je vous ai vu vous promener, dit-il.

Le passeur lâcha un soupir.

— Je me promène. Je mange à l'heure des repas. Et quand le Comité des sages fait appel à moi, je me rends auprès d'eux pour leur donner des conseils.

— Est-ce que vous leur en donnez souvent ?

Jonas était un peu inquiet à l'idée qu'un jour ce serait lui qui conseillerait les dirigeants.

Mais le passeur répondit que non.

— Rarement. Seulement quand ils se trouvent confrontés à quelque chose qu'ils ne connaissent pas. Alors ils m'appellent pour que j'aie recours aux souvenirs et que je les conseille. Mais cela se produit très rarement. Parfois j'aimerais qu'ils fassent plus souvent appel à ma sagesse ; il y a tant de choses que je pourrais leur dire, des choses que j'aimerais les voir changer ! Mais ils ne veulent pas de changements. Leur vie est tellement ordonnée, tellement prévisible, sans douleur. C'est ce qu'ils ont choisi.

— Je ne vois même pas pourquoi ils ont besoin d'un dépositaire, alors, puisqu'ils n'y font jamais appel, remarqua Jonas.

— Ils ont besoin de moi. Et de toi, dit le passeur sans plus d'explication. Ils s'en sont rendu compte il y a dix ans.

— Que s'est-il passé il y a dix ans ? demanda Jonas. Ah !

oui, je sais. Vous avez formé un successeur et ça n'a pas marché. Et pourquoi ? Pourquoi est-ce qu'ils se sont rendu compte qu'ils avaient besoin de nous ?

Le passeur sourit d'un air lugubre.

– Quand ça n'a pas marché avec la nouvelle dépositaire, les souvenirs qu'elle avait reçus se sont échappés. Ils ne me sont pas revenus. Ils sont partis…

Il marqua un temps, se débattant apparemment avec cette idée.

– Je ne sais pas exactement où. Ils sont allés là où les souvenirs étaient avant, avant qu'on ait créé les dépositaires. Quelque part par là…

Il fit un geste vague de la main.

– Et là les gens y avaient accès. Apparemment c'est comme ça que ça se passait dans le temps. Tout le monde avait accès aux souvenirs. C'était le chaos, poursuivit-il. Ils ont vraiment souffert pendant un temps. Finalement cela s'est résorbé quand les souvenirs ont été assimilés. Mais cela leur a fait certainement prendre conscience de la nécessité d'avoir un dépositaire pour contenir toute cette douleur. Et tout ce savoir.

– Mais c'est vous qui souffrez comme ça en permanence, fit remarquer Jonas.

Le passeur acquiesça.

– Et toi aussi tu souffriras. C'est ma vie. Ce sera la tienne.

Jonas réfléchit à cette phrase, à ce que cela impliquerait pour lui.

– Avec les promenades, les repas et…

Il regarda les murs couverts de livres.

– Et la lecture ? C'est tout ?

Le passeur secoua la tête.

— Ça, ce sont les choses que je fais. Ma vie est ici.

— Dans cette pièce ?

Le passeur secoua encore la tête. Il porta les mains à son visage, à sa poitrine.

— Non. Ici, dans mon être. Là où sont les souvenirs.

— Mes instructeurs de science et technologie nous ont appris comment fonctionnait le cerveau, lui dit Jonas avec empressement. C'est plein d'impulsions électriques. C'est comme un ordinateur. Si on stimule une partie du cerveau avec une électrode, il…

Il s'arrêta de parler. Le passeur avait un air étrange.

— Ils n'y connaissent rien, dit le passeur d'un ton amer.

Jonas en fut soufflé. Depuis son premier jour dans l'Annexe, ils passaient outre les règles de politesse et Jonas s'y était accoutumé maintenant. Mais ça, c'était différent, et bien pire que de l'impolitesse. C'était une accusation terrible. Et si quelqu'un avait entendu ?

Il jeta un coup d'œil rapide au haut-parleur du mur, terrifié à l'idée que le Comité ait pu les écouter comme il était en mesure de le faire à n'importe quel moment. Mais, comme toujours pendant leurs séances, le bouton était en position « FERMÉ ».

— Rien ? chuchota Jonas d'un ton nerveux. Mais mes instructeurs…

Le passeur balaya son objection du revers de la main.

— Oh, tes instructeurs sont bien formés ! Ils connaissent leur domaine. Tout le monde est bien formé pour son travail. C'est juste que… sans les souvenirs, cela n'a aucun sens. C'est à moi qu'ils ont confié ce fardeau. Et au dépositaire précédent. Et à celui d'avant.

— Et ainsi de suite, dit Jonas, qui connaissait la formule qui revenait sans cesse.

Le passeur sourit, bien que son sourire semblât d'une étrange dureté.

— C'est ça. Et le prochain ce sera toi. Un grand honneur.

— Oui, monsieur. Ils me l'ont dit lors de la cérémonie. Le plus grand honneur.

Certains après-midi, le passeur le renvoyait sans travailler. Jonas savait en arrivant, les jours où il trouvait le passeur courbé, le visage pâle, en train de se balancer d'avant en arrière, qu'il serait renvoyé chez lui.

— Va-t'en, lui disait le passeur d'une voix tendue. Je souffre aujourd'hui. Reviens demain.

Ces jours-là Jonas, inquiet et déçu, se promenait tout seul le long de la rivière. Les chemins étaient vides, à l'exception des équipes de livraison et de quelques jardiniers çà et là. Les petits enfants allaient tous au Centre des enfants après l'école, et les plus grands étaient occupés par leur bénévolat ou leur formation.

Livré à lui-même, il mettait les progrès de sa mémoire à l'épreuve. Il scrutait le paysage afin d'apercevoir le vert qu'il savait incrusté dans les buissons. Quand la couleur se mettait à vaciller devant ses yeux, Jonas se concentrait pour la conserver, l'approfondir, la retenir aussi longtemps que possible jusqu'à ce qu'il ait mal au cœur et qu'il la laisse s'échapper.

Il fixait le ciel terne et incolore, y faisant naître du bleu, et se remémorait le soleil jusqu'à ce qu'enfin, l'espace d'un instant, il en ressente la chaleur.

Il se tenait au pied du pont qui traversait la rivière, le pont que les citoyens n'étaient autorisés à passer qu'en mission officielle. Jonas l'avait traversé avec son groupe lors de sorties où ils allaient rendre visite aux communautés avoisinantes, et il savait que la terre au-delà du pont était à peu près la même, plate, bien ordonnée, avec des espaces agricoles. Les autres communautés qu'il avait vues lors de ces visites étaient sensiblement les mêmes que la sienne, les seules différences résidant dans le style des habitations ou les horaires des écoles.

Il se demandait ce qui se trouvait dans le lointain, là où il n'était jamais allé. La terre ne s'arrêtait pas après ces communautés voisines. Est-ce qu'il y avait des montagnes, Ailleurs ? Est-ce qu'il y avait de grands espaces balayés par le vent comme l'endroit qu'il avait vu en souvenir, celui où l'éléphant était mort ?

— Passeur, demanda-t-il le lendemain d'un après-midi où il l'avait renvoyé ainsi, qu'est-ce qui vous fait souffrir ?

Comme le passeur se taisait, Jonas poursuivit.

— La grande sage m'a dit au début que la réception des souvenirs faisait horriblement souffrir. Et vous m'avez dit que l'échec de la dépositaire précédente avait relâché des souvenirs douloureux dans la communauté. Mais je n'ai pas eu mal, passeur. Pas vraiment. (Jonas sourit.) Oh ! je me rappelle le coup de soleil que vous m'avez transmis le tout premier jour. Mais ce n'était pas si terrible que ça. Qu'est-ce qui vous fait tant souffrir ? Si vous m'en donniez un peu, peut-être que vous souffririez moins.

Le passeur hocha la tête.

— Allonge-toi, dit-il. Je suppose qu'il est temps. Je ne

pourrai pas t'épargner toujours. Tu devras bien finir par tout prendre. Laisse-moi réfléchir, ajouta-t-il tandis que Jonas attendait sur le lit, vaguement inquiet.

— Ça y est, dit le passeur après un moment, j'ai trouvé. On va commencer par quelque chose de familier. On va revenir à une montagne et à une luge.

Il posa ses mains sur son dos.

14

C'était un souvenir qui ressemblait beaucoup à l'autre, mais la montagne semblait différente, plus pentue, et il ne neigeait pas autant que la première fois.

Jonas sentit aussi qu'il faisait plus froid. Il voyait, du haut de la montagne où il attendait assis sur la luge, que la neige n'était pas douce et épaisse comme la première fois, mais dure et recouverte de glace bleutée.

La luge démarra et Jonas sourit de plaisir en pensant au moment où il dévalerait la pente à toute allure à travers l'air vivifiant.

Mais les patins, cette fois, ne parvenaient pas à fendre l'épaisseur de glace comme la neige moelleuse de l'autre pente. Ils dérapaient de côté et la luge prenait de la vitesse. Jonas essaya de se diriger en tirant sur la corde, mais la pente et la vitesse lui retirèrent le contrôle de la luge. Il n'était plus en mesure d'apprécier le sentiment de liberté qu'il avait connu. Au contraire, il était terrifié, à la merci de la folle accélération qui l'entraînait vers le bas.

En pivotant de côté, la luge vint heurter une bosse et le choc envoya Jonas voltiger dans les airs. Il retomba, la jambe coincée sous son corps, et entendit un os craquer. Son visage s'érafla sur les aspérités de la glace et quand, enfin, il s'arrêta de glisser, il resta immobile, en état de choc, ne ressentant tout d'abord rien que la peur.

Puis vint la première vague de douleur. Il en eut le souffle coupé. C'était comme si une hache s'était logée dans sa jambe et coupait tous les nerfs avec une lame rougie à blanc. Au milieu de cette douleur atroce, il perçut le mot «feu» et sentit des flammes lécher l'os cassé et la chair à vif. Il essaya de bouger mais n'y parvint pas. La douleur s'accrut.

Il hurla. Il n'y eut pas de réponse.

En larmes, il détourna la tête et vomit sur la neige glacée. Du sang dégoulina de son visage dans le vomi.

– Nooooon! hurla-t-il et le son de sa voix disparut dans le paysage désert, dans le vent.

Puis brusquement il fut de nouveau à l'Annexe en train de se tordre sur le lit. Son visage était couvert de larmes.

Il pouvait bouger maintenant et il balança son corps d'avant en arrière, respirant profondément pour évacuer le souvenir de la douleur.

Il s'assit et regarda sa jambe qui était allongée bien droite sur le lit, intacte. La douleur aiguë avait disparu. Mais sa jambe le faisait encore horriblement souffrir et son visage était à vif.

– Est-ce que je peux avoir le remède contre la douleur, s'il vous plaît? supplia-t-il.

On lui en donnait toujours dans la vie quotidienne pour les coups et les petites blessures, les doigts écrasés, les crampes d'estomac ou les écorchures au genou dues à une chute en bicyclette. Il y avait toujours une crème anesthésiante ou une pilule, ou, dans les cas graves, une piqûre qui procurait instantanément un soulagement total.

Mais le passeur répondit non et détourna son regard.

Ce soir-là, Jonas rentra chez lui en boitant et en poussant son vélo devant lui. La douleur du coup de soleil avait été si faible en comparaison et elle n'était pas restée ! Mais cette douleur-là persistait.

Elle n'était pas intolérable, comme l'avait été la douleur sur la montagne. Jonas s'efforça d'être courageux. Il se rappela que la grande sage avait dit qu'il était courageux.

— Il y a quelque chose qui ne va pas, Jonas ? demanda son père pendant le repas. Tu ne dis rien ce soir. Tu ne te sens pas bien ? Tu veux un médicament ?

Mais Jonas se souvint du règlement. Il ne devait pas prendre de médicaments pour quoi que ce fût en rapport avec sa formation.

Et il ne devait pas non plus parler de sa formation. Au moment du partage des sentiments, il se contenta de dire qu'il était fatigué, que ses cours avaient été particulièrement astreignants ce jour-là.

Il se retira de bonne heure dans sa chambre ; derrière la porte, il entendait ses parents et sa sœur rire en donnant son bain à Gabriel.

Ils ne savent pas ce qu'est la douleur, pensa-t-il. Cette prise de conscience lui donna un sentiment terrible de solitude et il frotta sa jambe douloureuse. Il finit par s'endormir. Toute la nuit il rêva de l'angoisse et de l'isolement qu'il avait ressentis sur la montagne abandonnée.

La formation se poursuivit, et maintenant elle comportait toujours de la souffrance. La douleur atroce de la jambe cassée finit par ne sembler guère plus qu'une gêne passagère au fur et à mesure que le passeur, d'une main ferme, conduisait Jonas parmi les souffrances profondes et terribles du passé. Chaque fois, dans sa gentillesse, le passeur terminait l'après-midi par un souvenir de plaisir riche en couleurs : une promenade à vive allure en bateau sur un lac vert-bleu ; une prairie parsemée de fleurs jaunes ; un coucher de soleil orange derrière des montagnes.

Cela ne suffisait pas à calmer la douleur que Jonas commençait maintenant à connaître.

— Mais pourquoi ? demanda un jour Jonas après avoir été torturé par un souvenir dans lequel on l'avait abandonné et on ne l'avait pas nourri.

La faim avait créé des crampes insoutenables dans son estomac vide et distendu. Il était étendu sur le lit, son corps lui faisait mal.

— Pourquoi est-ce qu'on doit, vous et moi, conserver ces souvenirs ?

— Cela nous apporte la sagesse, répondit le passeur. Sans sagesse je ne pourrais pas remplir mon rôle de conseiller auprès du Comité des sages quand ils font appel à moi.

— Mais quelle sagesse peut-on tirer de la faim ? gémit Jonas. Il avait encore mal au ventre bien que l'évocation du souvenir fût terminée.

— Il y a quelques années, lui dit le passeur, avant ta naissance, de nombreux citoyens avaient envoyé une pétition au Comité des sages. Ils voulaient augmenter le taux des naissances. Ils voulaient que chaque mère porteuse fasse quatre enfants au lieu de trois, pour que la population augmente et qu'il y ait plus de travailleurs.

Jonas approuva d'un signe de tête.

— C'est une bonne idée.

— Le principe c'était que certaines cellules familiales pourraient accueillir un enfant supplémentaire.

Jonas approuva de nouveau.

— La mienne pourrait, fit-il remarquer. Cette année nous avons Gabriel et c'est bien d'avoir un troisième enfant.

— Le Comité des sages m'a demandé conseil, poursuivit le passeur. Cela leur paraissait une bonne idée à eux aussi, mais c'était une idée nouvelle et ils ont eu recours à ma sagesse.

— Et vous avez fait appel aux souvenirs ?

Le passeur acquiesça.

— Et le souvenir le plus fort qui est revenu, c'était la faim. Il a traversé plusieurs générations. Plusieurs siècles. À cette époque, la population était devenue tellement nombreuse que la faim régnait partout. Une faim insoutenable, la famine. Ce fut suivi par des guerres.

Des guerres ? C'était un concept que Jonas ne connaissait pas. Mais la faim lui était familière maintenant. Il se frotta mécaniquement le ventre au souvenir de ses besoins non comblés et de la souffrance qui en avait découlé.

— Et vous leur avez décrit ça ?

— Ils ne veulent pas entendre parler de douleur. Ils veulent juste mon avis. Je leur ai simplement déconseillé d'augmenter la population.

— Mais vous avez dit que ça s'était passé avant ma naissance. Ils ne font quasiment jamais appel à vous. Seulement quand… comment avez-vous dit ? Quand ils ont un problème auquel ils n'ont jamais été confrontés auparavant. C'était quand la dernière fois ?

— Tu te souviens du jour où un avion a survolé la communauté ?

— Oui. J'ai eu peur.

— Eux aussi. Ils s'apprêtaient à le descendre, mais ils m'ont demandé conseil. Je leur ai dit d'attendre.

— Mais comment saviez-vous ? Comment saviez-vous que le pilote avait perdu son chemin ?

— Je ne savais pas. Mais j'ai utilisé la sagesse qui me vient des souvenirs. Je savais qu'il y avait eu des époques, des époques affreuses, où les gens en avaient détruit d'autres dans la précipitation et dans la peur, et que cela avait entraîné leur propre destruction.

Jonas prit conscience de quelque chose.

— Cela veut dire, dit-il lentement, que vous avez des souvenirs de destruction. Et que vous devez aussi me les transmettre, parce que je dois acquérir la sagesse.

Le passeur acquiesça.

— Mais ça va faire mal, ajouta Jonas.

Ce n'était pas une question.

— Horriblement mal, convint le passeur.

— Mais pourquoi est-ce que les souvenirs ne peuvent pas être à tout le monde ? Je pense que ce serait peut-être un peu plus facile si on les partageait. Vous et moi n'aurions pas à porter un tel fardeau si tout le monde en avait un bout.

Le passeur soupira.

— Tu as raison, dit-il. Mais alors tout le monde devrait supporter ce fardeau et cette douleur. Ils ne veulent pas de ça. Et c'est ça la vraie raison pour laquelle le dépositaire leur est tellement vital et qu'ils l'honorent ainsi. Ils m'ont choisi, et toi aussi, pour les débarrasser de ce fardeau.

— Quand est-ce qu'ils ont décidé ça ? s'emporta Jonas. Ce n'est pas juste. Il faut changer ça !

— Et comment peut-on faire, à ton avis ? Je n'ai jamais réussi à trouver un moyen, et je suis censé être celui qui détient toute la sagesse.

— Mais nous sommes deux maintenant, dit Jonas vivement. Ensemble, on peut trouver un moyen !

Le passeur le contempla d'un regard désabusé.

— Et pourquoi on ne demanderait pas à changer le règlement ? suggéra Jonas.

Le passeur rit ; Jonas finit par rire aussi, à contrecœur.

— Cette décision a été prise bien avant mon époque ou la tienne, répliqua le passeur, et bien avant le dépositaire précédent, et…

Il marqua un temps.

— Et ainsi de suite, dit Jonas en reprenant l'expression familière.

Parfois cette expression lui semblait pleine d'humour. Parfois elle lui semblait pleine de signification et d'importance.

Aujourd'hui elle lui paraissait de mauvais augure. Elle signifiait, il le savait, qu'on ne pourrait rien changer.

Gabriel, le nouveau-né, grandissait et réussissait les tests de maturité que lui faisaient passer chaque mois les nourriciers. Il se tenait assis tout seul maintenant, tendait la main pour attraper les petits objets ludiques et il avait six dents. Papa racontait que pendant la journée il était de bonne humeur et semblait d'une intelligence normale. Mais il continuait à mal dormir la nuit, à geindre et à demander une attention soutenue.

— Avec toutes les heures supplémentaires que j'ai faites avec lui, dit papa un soir où Gabriel avait pris son bain et était couché tranquillement, son hippopotame dans les bras, dans le petit berceau qui avait remplacé le couffin, j'espère qu'ils ne vont pas décider de l'élargir.

— Peut-être que ce serait mieux, suggéra maman. Je sais que ça ne te gêne pas de te lever la nuit, mais pour moi le manque de sommeil est extrêmement dur à supporter.

— S'ils élargissent Gabriel, est-ce qu'on pourra avoir un autre nouveau-né en pension ? demanda Lily.

Elle était assise auprès du berceau et faisait des grimaces à l'enfant, qui lui répondait par des sourires.

La mère de Jonas leva les yeux au ciel d'un air consterné.

— Non, dit papa en souriant.

Il passa sa main dans les cheveux de Lily.

— De toute façon, il est très rare que le statut d'un nouveau-né soit aussi incertain que celui de Gabriel. Cela ne se reproduira sans doute pas de sitôt… Quoi qu'il en soit, ajouta-t-il en soupirant, ils ne prendront pas la décision d'ici un moment. Pour l'instant, nous nous préparons à un élargissement qui sera probablement réalisé très bientôt. Il y a une mère porteuse qui attend des jumeaux de sexe masculin pour le mois prochain.

— Oh ! non, fit maman en secouant la tête. Si ce sont de vrais jumeaux, j'espère que ce n'est pas toi qui devras…

— Si, c'est moi. Je suis le prochain sur la liste. C'est moi qui devrai choisir lequel on garde et lequel on élargit. Remarque, en général, ce n'est pas difficile. C'est souvent juste une question de poids à la naissance. On élargit le plus petit.

Jonas, tout en écoutant, se prit soudain à penser au pont et aux fois où, se tenant à son pied, il s'était demandé ce qu'il y avait Ailleurs. Est-ce qu'il y avait quelqu'un là-bas qui attendait de recevoir le petit jumeau élargi ? Est-ce qu'il grandirait Ailleurs sans savoir, jamais, que dans cette communauté existait un être qui lui ressemblait comme deux gouttes d'eau ?

Pendant un instant, il vit vaciller une petite lueur d'espoir dont il savait qu'elle était parfaitement idiote. Il espéra un instant que c'était Larissa qui l'attendait. Larissa, la vieille femme qu'il avait aidée à prendre son bain. Il se souvenait de ses yeux pétillants, de sa voix douce, de ses petits gloussements. Fiona lui avait dit récemment que Larissa avait été élargie lors d'une merveilleuse cérémonie.

Mais il savait qu'on ne donnait pas d'enfants à élever aux anciens. La vie de Larissa, Ailleurs, serait calme et sereine comme il convenait aux anciens ; elle n'apprécierait pas la responsabilité d'un enfant qui avait besoin qu'on le nourrisse et qu'on s'occupe de lui et qui pleurerait sans doute dans la nuit.

— Maman ? Papa ? demanda-t-il brusquement car l'idée venait de lui traverser l'esprit, et si on mettait le berceau de Gabriel dans ma chambre ce soir ? Je sais comment lui donner le biberon et le calmer, et ça vous permettrait à toi et à papa de récupérer un peu.

Papa n'avait pas l'air convaincu.

— Tu dors tellement profondément, Jonas. Et s'il s'agite et que tu ne l'entends pas ?

Ce fut Lily qui répondit à cette objection.

— Si personne ne s'occupe de lui, remarqua-t-elle,

Gabriel fait beaucoup de bruit. Il nous réveillerait tous si Jonas continuait à dormir.

Papa rit.

— Tu as raison, Lily-Loulette. D'accord, Jonas, essayons pour ce soir. Je vais prendre une nuit de congé et maman pourra se reposer, elle aussi.

Gabriel dormit d'un sommeil régulier pendant la première partie de la nuit. Dans son lit, Jonas resta un moment éveillé ; de temps à autre il se soulevait sur le coude pour regarder dans le berceau. L'enfant était sur le ventre, les deux bras autour de la tête, les yeux fermés, et sa respiration était régulière et paisible. Jonas finit par s'endormir à son tour.

Puis, vers le milieu de la nuit, le bruit que faisait Gabriel en s'agitant réveilla Jonas. L'enfant se retournait sous ses couvertures en remuant les bras et commençait à geindre.

Jonas se leva et s'approcha de lui. Il lui caressa doucement le dos. Parfois cela suffisait à le rendormir. Mais l'enfant continua à se tortiller sous sa main.

Toujours en le berçant d'une main, Jonas se mit à penser à la magnifique promenade en bateau que le passeur lui avait transmise peu de temps auparavant : un jour de beau temps clair sur un lac turquoise transparent, et au-dessus de lui la voile blanche du bateau qui se gonflait au vent.

Il n'avait pas conscience de transmettre le souvenir ; mais soudain Jonas s'aperçut qu'il s'atténuait, qu'il était en train de passer de sa main dans l'être de l'enfant. Gabriel se tut. Saisi, Jonas rattrapa ce qui restait du souvenir dans un sursaut de volonté. Il ôta sa main du petit dos et resta debout sans bruit près du berceau.

En lui-même, il se remémora le souvenir de la promenade en bateau. Il était toujours là, mais le ciel était moins bleu, le roulis du bateau plus lent, l'eau du lac plus troublée. Il retint cette image un moment pour apaiser sa nervosité déclenchée par ce qui venait de se produire, puis la laissa partir et retourna se coucher.

Vers l'aube, de nouveau, l'enfant se réveilla et se mit à pleurer. De nouveau Jonas vint le voir. Cette fois, il plaça délibérément une main ferme sur le dos de Gabriel et lui abandonna le reste de cette journée apaisante sur le lac. De nouveau, Gabriel s'endormit.

Mais Jonas était réveillé et il pensait. Il ne lui restait plus désormais qu'une vague trame du souvenir et il sentait un petit vide à cet endroit. Il savait qu'il pourrait demander au passeur une autre promenade en bateau. Sur l'océan, peut-être, la prochaine fois, car Jonas avait maintenant le souvenir de l'océan et savait ce que c'était ; il savait que là aussi il y avait des bateaux, dans des souvenirs qu'il lui restait encore à acquérir.

Il se demandait toutefois s'il devait avouer au passeur qu'il avait transmis un souvenir. Il n'avait pas encore la qualification d'un passeur, pas plus que Gabriel n'avait été choisi pour être dépositaire.

Le fait d'avoir ce pouvoir lui faisait peur. Il décida de ne rien dire.

15

Jonas entra dans l'Annexe et comprit immédiatement que c'était un jour où il serait renvoyé chez lui. Le passeur était contracté dans son fauteuil, le visage dans les mains.

– Je reviendrai demain, monsieur, dit-il rapidement. Puis il hésita.

– À moins que je puisse faire quelque chose pour vous aider.

Le passeur leva les yeux, le visage déformé par la douleur.

– S'il te plaît, suffoqua-t-il, prends un peu de la souffrance.

Jonas l'aida à s'installer dans le fauteuil placé à côté du lit. Puis il enleva vite sa tunique et s'allongea sur le ventre.

– Placez vos mains sur mon dos, lui ordonna-t-il, conscient que, dans l'état d'angoisse où il se trouvait, le passeur pouvait avoir besoin qu'on lui rafraîchisse la mémoire.

Les mains se posèrent sur son dos et avec elles vint la souffrance. Jonas prit son courage à deux mains et pénétra dans le souvenir qui torturait le passeur.

Il se trouvait dans un endroit où régnaient le bruit et la confusion et qui sentait la charogne. Il faisait jour, tôt le matin, et l'air était épaissi par une fumée d'un jaune marron qui flottait au-dessus du sol. Partout autour de lui, sur toute l'étendue de ce qui semblait être un pré, gisaient des hommes en train de gémir. Un cheval aux yeux égarés, dont la bride déchirée pendait, courait frénétiquement parmi les hommes entassés en secouant la tête et en hennissant de peur. Il finit par trébucher, tomba, et ne se releva pas.

Jonas entendit une voix près de lui. « De l'eau », murmurait la voix d'un ton rauque et altéré.

Il tourna la tête en direction de la voix et vit les yeux à demi fermés d'un garçon qui semblait à peine plus âgé que lui-même. Le visage du garçon et ses cheveux blonds emmêlés étaient couverts de boue. Il était affalé sur le sol et du sang frais et humide luisait sur son uniforme gris.

Les couleurs du carnage étaient d'une intensité grotesque : le suintement écarlate sur le tissu grossier et poussiéreux, les brins d'herbe étonnamment verts dans les cheveux jaunes du garçon.

Le garçon le fixait du regard. « De l'eau », implora-t-il de nouveau. Quand il parlait un nouveau jet de sang inondait le tissu épais de son habit sur la poitrine et sur la manche.

Un des bras de Jonas était immobilisé par la douleur et il pouvait voir à travers sa manche déchirée quelque chose qui ressemblait à de la chair déchiquetée et à de l'os brisé. Il fit une tentative avec l'autre bras et le sentit bouger. Lentement il porta la main à son côté, trouva la gourde en métal et ôta le bouchon, interrompant de temps à autre le mouvement infime de sa main pour laisser passer la douleur qui montait par à-coups. Quand la gourde fut enfin ouverte, il allongea doucement le bras, centimètre par centimètre, par-dessus la terre trempée de sang et la porta aux lèvres du garçon. L'eau tomba dans la bouche implorante et dégoulina sur le menton crasseux.

Le garçon lâcha un soupir. Il renversa la tête en arrière et sa mâchoire inférieure tomba comme s'il venait d'être surpris par quelque chose. Un voile inerte recouvrit lentement ses yeux. Il ne dit plus rien.

Mais le bruit se poursuivait tout autour, les cris des blessés qui réclamaient de l'eau, leur mère et la mort. Les chevaux couchés à terre poussaient des hennissements perçants, redressaient la tête et ruaient vers le ciel au hasard.

Jonas entendait les canons gronder dans le lointain. Submergé par la douleur, il resta allongé pendant des heures dans l'effroyable puanteur à écouter mourir les hommes et les animaux, et il apprit ce qu'était la guerre.

Enfin, quand il comprit qu'il ne pouvait plus le supporter et qu'il serait prêt à accueillir la mort lui aussi, il ouvrit les yeux et se retrouva de nouveau sur le lit.

Le passeur détourna son regard, comme s'il refusait de voir ce qu'il avait fait à Jonas.

– Pardonne-moi, dit-il.

16

Jonas ne voulait plus y retourner. Il ne voulait plus des souvenirs, il ne voulait plus de l'honneur, il ne voulait plus de la sagesse, il ne voulait plus de la souffrance. Il voulait son enfance, ses genoux écorchés et son ballon. Assis seul dans son habitation, il regardait par la fenêtre et voyait les enfants jouer et les citoyens rentrer chez eux après une journée sans surprises ; des vies ordinaires débarrassées de toute angoisse parce qu'il avait été sélectionné, comme d'autres avant lui, pour porter leur fardeau.

Mais il n'avait pas le choix.

Il retourna à l'Annexe.

Le passeur fut clément avec lui pendant plusieurs jours après ce terrible souvenir de guerre.

— Il y a tellement de bons souvenirs, lui rappela-t-il.

Et c'était vrai. Jonas avait maintenant connu un nombre incalculable de moments de bonheur, des choses dont il ne soupçonnait pas l'existence jusqu'alors.

Il avait assisté à un anniversaire avec un seul enfant mis en valeur et fêté ce jour-là, et il comprenait maintenant la joie d'être un individu particulier, d'être unique et d'en être fier.

Il avait visité des musées et vu des peintures pleines de

toutes les couleurs qu'il pouvait maintenant reconnaître et appeler par leur nom.

Dans un souvenir d'extase, il avait monté un cheval brun luisant à travers un champ qui sentait l'herbe mouillée et s'était arrêté près d'un petit ruisseau où lui et le cheval avaient bu l'eau claire et fraîche. Maintenant il comprenait ce qu'étaient les animaux ; et au moment où le cheval s'était retourné et avait frotté affectueusement sa tête contre l'épaule de Jonas, il avait perçu les liens qui unissaient les animaux et les humains.

Il avait marché dans les bois et s'était assis le soir près d'un feu de camp. Quoiqu'il ait découvert par le biais des souvenirs la douleur de la perte et de l'isolement, il avait aussi appris à comprendre la solitude et ses joies.

– C'est quoi, votre préféré ? demanda un jour Jonas au passeur. Vous n'avez pas besoin de me le transmettre tout de suite, ajouta-t-il rapidement. Vous pouvez juste m'en parler, comme ça je pourrai me faire une joie de le recevoir puisqu'il faudra bien que je le reçoive une fois votre travail terminé.

Le passeur sourit.

– Allonge-toi, dit-il. Je suis heureux de te le transmettre.

Jonas ressentit la joie qui dominait le souvenir aussitôt que celui-ci commença. Parfois il lui fallait un moment pour prendre ses marques et trouver sa place. Mais cette fois il se sentit aussitôt à l'aise et perçut le bonheur qui imprégnait l'atmosphère.

Il se trouvait dans une pièce remplie de monde où il faisait bon car un feu rougeoyait dans une cheminée. Il pouvait voir par la fenêtre qu'il faisait nuit dehors et qu'il neigeait. On voyait des lumières colorées, rouges, vertes et jaunes, qui scintillaient sur un arbre, lequel, curieusement, se trouvait à l'intérieur de la maison. Sur une table, des chandelles allumées et placées dans un support doré éclairaient la pièce d'une lueur douce et changeante. Il sentait l'odeur de choses en train de cuire et il entendait rire. Un chien au poil blond dormait couché par terre.

Sur le sol également, il y avait des paquets emballés dans des papiers de couleurs vives et attachés par des rubans brillants. Jonas vit un petit enfant prendre les paquets et les faire passer tout autour de la pièce à d'autres enfants, à des adultes, qui étaient visiblement des parents, et à un couple de gens plus âgés et silencieux, homme et femme, qui souriaient assis côte à côte sur le canapé.

Pendant que Jonas regardait, les gens commencèrent un à un à dénouer les rubans des paquets, à défaire les papiers de couleurs vives, à ouvrir les boîtes et à sortir des jouets, des vêtements et des livres. On entendait des cris de joie. Ils s'embrassaient.

Le petit enfant alla s'asseoir sur les genoux de la femme âgée et elle le berça dans ses bras en frottant sa joue contre la sienne.

Jonas ouvrit les yeux et resta allongé sur le lit sans bouger, baignant encore dans le plaisir et la chaleur de ce souvenir.

— Qu'est-ce que tu as perçu ? lui demanda le passeur.

— La chaleur, répliqua Jonas, et le bonheur. Et puis… attendez voir… la famille. Il s'agissait d'une certaine célébration, d'une fête. Et puis quelque chose encore, mais je n'arrive pas à saisir comment ça s'appelle.

— Ça va venir.

— Qui étaient les gens âgés ? Pourquoi étaient-ils là ?

Cela avait rendu Jonas perplexe de les voir dans la pièce. Les anciens de la communauté ne quittaient jamais leur lieu réservé, la Maison des anciens, où on s'occupait si bien d'eux et où on les traitait avec tellement de respect.

— On les appelait des grands-parents.

— Des grands parents ?

— Grands-parents, avec un trait d'union. Cela voulait dire parents-des-parents, il y a longtemps, bien avant toi, bien avant moi…

— Et ainsi de suite ? (Jonas se mit à rire.) Et alors il pourrait y avoir des parents-des-parents-des-parents-des-parents ?

Le passeur rit à son tour.

— C'est ça. C'est un peu comme te voir en train de te regarder dans le miroir où tu te vois en train de te regarder dans le miroir.

Jonas fronça les sourcils.

— Mais mes parents ont dû avoir des parents ! Je n'y avais jamais pensé auparavant. Qui sont mes parents-des-parents ? Et où sont-ils ?

— Tu pourrais aller voir dans la Grande Salle des Registres publics. Tu trouverais leurs noms. Mais réfléchis un peu, mon garçon. Si tu demandes des enfants, qui seront leurs parents-des-parents ? Qui seront leurs grands-parents ?

— Ma mère et mon père, bien sûr.

— Et où seront-ils ?

Jonas réfléchit.

— Oh ! dit-il doucement. Quand j'aurai fini ma formation et que je deviendrai vraiment adulte, on me donnera ma propre habitation. Et quand ce sera au tour de Lily, quelques années plus tard, elle aura sa propre habitation, et peut-être un conjoint et des enfants si elle en fait la demande, et alors maman et papa…

— C'est ça.

— Tant qu'ils travailleront et contribueront à la communauté, ils habiteront avec les autres adultes-sans-enfants. Et ils ne feront plus partie de ma vie. Et après ça, quand le moment viendra, ils iront à la Maison des anciens, poursuivit Jonas, qui pensait à voix haute. Et on s'occupera bien d'eux et on les respectera, et quand on les élargira, on donnera une fête pour eux.

— À laquelle tu n'assisteras pas, fit remarquer le passeur.

— Non, bien sûr que non, parce que je ne saurai même pas qu'elle a lieu. À ce moment-là je serai tellement pris par ma vie à moi. Et Lily aussi. Si bien que nos enfants, si nous en avons, ne connaîtront pas non plus leurs parents-des-parents. Ça marche pas mal comme ça, non, à notre manière à nous ? demanda Jonas. C'est juste que je n'avais jamais pensé qu'il pouvait y avoir une autre façon de faire, jusqu'à ce que je reçoive ce souvenir.

— Ça marche, lui accorda le passeur.

Jonas eut un moment d'hésitation.

— J'ai vraiment aimé ce souvenir, pourtant. Je vois pourquoi c'est votre préféré. Je n'ai pas réussi à saisir le nom du sentiment global, de l'émotion qui était si présente dans la pièce.

— L'amour, dit le passeur.

Jonas répéta après lui. « L'amour. » C'était un mot et un concept nouveaux pour lui.

Ils se turent tous les deux un instant. Puis Jonas dit :

— Passeur ?

— Oui ?

— Je me sens très bête de dire ça. Très, très bête.

— Tu ne dois pas. Rien n'est bête ici. Fais confiance aux souvenirs et aux sentiments qu'ils te donnent.

— Eh bien, dit Jonas en fixant le sol, je sais que vous n'avez plus ce souvenir puisque vous me l'avez transmis, alors peut-être que vous n'allez pas comprendre.

— Je comprendrai. Il me reste une vague trace de celui-ci et j'ai beaucoup d'autres souvenirs de familles, de fêtes et de bonheur. D'amour.

Jonas lâcha d'un coup ce qu'il ressentait.

— Je pensais que... bon, je vois bien que ce n'était pas pratique de vivre comme ça, avec les anciens au même endroit, et peut-être qu'on ne s'occupait pas aussi bien d'eux qu'on le fait maintenant et que notre façon à nous de faire les choses est mieux organisée. Mais quand même, je pensais, en fait je sentais, que c'était assez agréable à l'époque. Et que j'aimerais bien que ce soit encore comme ça et que vous soyez mon grand-parent. La famille dans le souvenir avait l'air un peu plus...

Il s'arrêta faute de trouver le mot qu'il cherchait.

— Un peu plus complète ? suggéra le passeur.

Jonas acquiesça.

— J'ai bien aimé l'amour.

Il jeta nerveusement un coup d'œil au haut-parleur pour vérifier que personne n'écoutait.

— J'aimerais bien qu'on l'ait encore, murmura-t-il. Bien sûr, ajouta-t-il rapidement, je comprends que cela ne marcherait pas très bien. Et qu'il vaut bien mieux être organisé comme nous le sommes maintenant. Je vois bien que c'était dangereux comme façon de vivre.

– Que veux-tu dire ?

Jonas hésita. En réalité il ne savait pas exactement ce qu'il avait voulu dire. Il sentait que cela impliquait une forme de risque mais il ne savait pas laquelle.

– Eh bien, finit-il par dire, à court d'arguments, ils avaient du feu au milieu de la pièce. Et il y avait des chandelles allumées sur la table. Je vois bien pourquoi ces choses ont été interdites. Quand même, dit-il doucement, presque en lui-même, j'aimais bien leur lumière. Et leur chaleur.

– Papa ? Maman ? demanda timidement Jonas après le repas du soir. J'ai une question que j'aimerais vous poser.

– Qu'est-ce que c'est ? demanda son père.

Il se força à prononcer les mots bien qu'il se sentît rougir de gêne. Il les avait répétés pendant tout le chemin du retour.

– Est-ce que vous m'aimez ?

Il y eut pendant quelques instants un silence embarrassé. Puis papa émit un petit gloussement.

– Jonas ! Toi ! Et la précision du langage, alors ?

– Qu'est-ce que tu veux dire ? demanda Jonas.

Une réaction amusée n'était pas du tout ce à quoi il s'attendait.

– Ton père veut dire que tu as utilisé un terme très général, tellement dénué de sens qu'il est pratiquement tombé en désuétude, expliqua sa mère avec soin.

Jonas les regarda d'un air ébahi. Dénué de sens ? Jamais auparavant il n'avait ressenti quelque chose d'aussi riche de sens que ce souvenir.

— Et bien entendu notre communauté ne peut pas fonctionner correctement si les gens n'emploient pas un langage précis. Tu pourrais demander : « Est-ce que vous appréciez ma présence ? » Et la réponse est oui.

— Ou bien, suggéra son père : « Est-ce que vous êtes fiers de mes réalisations ? » Et la réponse est oui, de tout cœur !

— Est-ce que tu comprends pourquoi c'est impropre d'utiliser un mot comme « aimer » ? demanda maman.

Jonas hocha la tête.

— Oui, merci, je comprends, répondit-il lentement.

Ce fut la première fois qu'il mentit à ses parents.

— Gabriel ? murmura cette nuit-là Jonas à l'enfant.

Le berceau se trouvait de nouveau dans sa chambre. Après que Gabriel eut dormi quatre nuits d'affilée dans la chambre de Jonas, ses parents avaient décrété que l'expérience était une réussite et Jonas un héros. Gabriel grandissait vite, il marchait à quatre pattes maintenant, se traînait partout et se mettait debout. Il pouvait retourner au Centre nourricier, avait dit papa d'un air heureux, maintenant qu'il dormait. Il pourrait recevoir officiellement son nom et être attribué à sa famille en décembre, qui n'était plus que dans deux mois.

Mais quand on l'emmena, il s'arrêta de nouveau de dormir et se remit à pleurer la nuit.

Il était donc revenu dans la chambre de Jonas. Ils lui accorderaient encore un peu de temps, avaient-ils décidé. Puisque Gabriel avait l'air de se plaire dans la chambre de Jonas, il y dormirait encore un peu jusqu'à ce qu'il ait pleinement acquis l'habitude de faire des nuits complètes. Les nourriciers étaient très optimistes à son sujet.

Jonas ne reçut pas de réponse. Gabriel dormait profondément.

– Les choses pourraient changer, Gaby, poursuivit Jonas. Les choses pourraient être différentes. Je ne sais pas comment, mais il doit bien y avoir un moyen pour que les choses soient différentes. Il pourrait y avoir des couleurs. Et des grands-parents, ajouta-t-il en fixant dans le noir le plafond de sa chambre à coucher. Et les souvenirs seraient à tout le monde. Tu sais ce que c'est, les souvenirs, murmura-t-il en se tournant vers le berceau.

La respiration de Gabriel était calme et régulière. Jonas aimait l'avoir là, bien qu'il se sentît un peu coupable à cause du secret. Toutes les nuits il transmettait des souvenirs à Gabriel : des souvenirs de promenades en bateau et de pique-niques au soleil, de pluies chaudes contre les carreaux de la fenêtre et de danse pieds nus dans une prairie mouillée de rosée.

– Gaby ?

L'enfant remua légèrement dans son sommeil. Jonas se pencha sur lui.

– Il pourrait y avoir de l'amour, murmura Jonas.

Le lendemain, pour la première fois, Jonas ne prit pas sa pilule. Quelque chose en lui, quelque chose qui avait éclos par l'entremise des souvenirs lui disait de s'en débarrasser.

17

« LA JOURNÉE EST DÉCRÉTÉE JOUR DE CONGÉ
SURPRISE. » Jonas, ses parents et Lily regardèrent tous
d'un air étonné le haut-parleur fixé au mur d'où émanait
cette annonce. Cela arrivait si rarement et c'était un tel
plaisir pour toute la communauté quand cela se produisait ! Les adultes étaient exemptés de se rendre au travail,
les enfants d'aller à l'école ou en formation et de faire
leurs heures de bénévolat. Les travailleurs de remplacement, qui auraient un jour de congé différent, prenaient
en charge toutes les tâches vitales : nourrir les nouveau-
nés, livrer les provisions et s'occuper des anciens. Et la
communauté était libre.

Jonas se réjouit et reposa le dossier contenant ses
devoirs. Il était sur le point de partir à l'école. L'école avait
moins d'importance pour lui, désormais, et d'ici peu sa
scolarisation prendrait fin. Malgré tout, les douze-ans,
quoiqu'ils eussent commencé leur formation d'adultes,
devaient encore apprendre par cœur des listes sans fin de
lois et acquérir la maîtrise des dernières technologies.

Il souhaita une bonne journée à ses parents, à sa sœur
et à Gabriel, et s'engagea à vélo sur le chemin à la
recherche d'Asher.

Cela faisait maintenant quatre semaines qu'il n'avait pas pris la pilule. Les stimulations étaient revenues et il se sentait un peu coupable et gêné des rêves de plaisir qu'il faisait chaque nuit. Mais il savait qu'il ne pouvait retourner au monde dénué d'émotions dans lequel il avait vécu si longtemps.

Et ces émotions nouvelles et plus fortes ne pénétraient pas seulement dans son sommeil. Bien qu'il sût que le fait de ne pas prendre la pilule en était en partie responsable, il pensait que sa sensibilité provenait également des souvenirs. Il voyait désormais toutes les couleurs et il parvenait à les retenir, si bien que les arbres, l'herbe et les buissons demeuraient verts dans sa vision. Les bonnes joues de Gabriel restaient roses même quand il dormait. Et les pommes étaient toujours, toujours rouges.

Par le biais des souvenirs, il avait vu des océans, des lacs de montagne et des ruisseaux qui couraient à travers bois, et il voyait désormais d'un autre œil la rivière large et familière qui longeait le chemin. Il voyait toute la lumière, toute la couleur, toute l'histoire qu'elle contenait et transportait dans ses eaux lentes, et il savait qu'il y avait un Ailleurs d'où elle venait et un Ailleurs où elle allait.

En ce jour de congé fortuit et inattendu il se sentait heureux, comme toujours les jours de congé, mais d'un bonheur plus profond que jamais. À la recherche, comme toujours, de la précision du langage, Jonas prit conscience qu'il faisait l'expérience d'une nouvelle profondeur de sentiments. D'une certaine manière, ils n'avaient rien à voir avec les sentiments que chaque citoyen, chaque soir, dans chaque habitation, analysait dans des palabres infinies.

« J'ai été en colère parce que quelqu'un n'a pas respecté le règlement du terrain de jeu », avait dit une fois Lily en serrant son petit poing pour exprimer sa fureur. Sa famille – y compris Jonas – avait parlé des raisons possibles de cette infraction au règlement et de la nécessité de se montrer compréhensif et patient jusqu'à ce que le poing de Lily se détende et que sa colère disparaisse.

Mais Lily n'avait pas ressenti de colère, Jonas le comprenait maintenant. Une légère impatience et de l'exaspération, voilà ce qu'elle avait ressenti. Il le savait avec certitude parce qu'il savait maintenant ce qu'était la colère. À travers les souvenirs, il avait maintenant rencontré l'injustice et la cruauté et elles avaient déclenché une rage qui montait en lui avec tant de passion qu'il était impensable de pouvoir en discuter calmement au repas du soir.

« Je me suis sentie triste aujourd'hui », avait dit sa mère une fois, et ils l'avaient consolée.

Mais maintenant Jonas connaissait la vraie tristesse. Il avait éprouvé du chagrin. Il savait qu'il n'y avait pas de remèdes rapides contre ces émotions-là.

Elles étaient plus profondes et il n'y avait pas besoin d'en parler. On les sentait, c'est tout.

Aujourd'hui, il se sentait heureux.

– Asher !

Il repéra la bicyclette de son ami posée contre un arbre sur le bord du terrain de jeu. Près de là, d'autres bicyclettes jonchaient le sol en désordre. Un jour de congé, on pouvait passer outre les consignes habituelles de rangement.

Il fit un dérapage contrôlé et lâcha son vélo près des autres.

– Hé ! Ash ! cria-t-il en regardant tout autour de lui.

On aurait dit qu'il n'y avait personne dans la zone de jeu.

— Où es-tu ?

— Ta-ta-ta-ta-ta !

C'était une voix d'enfant qui sortait d'un buisson près de lui.

— Pan ! Pan ! Pan !

Une onze-ans du nom de Tanya sortit en titubant de son abri. D'un geste plein d'emphase elle porta les mains à son ventre et fit quelques pas en zigzaguant.

— Tu m'as eue, gémit-elle et elle tomba par terre en grimaçant de douleur.

— Pan !

Jonas, qui se tenait sur le bord du terrain de jeu, reconnut la voix d'Asher. Il vit son ami, une arme imaginaire à la main, s'élancer d'un arbre à l'autre.

— Pan ! Tu es dans ma ligne de mire, Jonas ! Attention !

Jonas recula. Il vint s'agenouiller derrière la bicyclette d'Asher pour se mettre hors de vue. C'était un jeu auquel il avait souvent joué avec les autres enfants, le jeu des bons et des méchants, un passe-temps inoffensif qui leur permettait de se défouler et ne se terminait qu'une fois tous allongés sur le sol dans des positions saugrenues.

Il n'avait jamais pris conscience qu'ils jouaient à la guerre.

— À l'attaque !

Le cri surgit de derrière la petite cabane où on rangeait le matériel de jeu. Trois enfants se précipitèrent en avant, leur arme imaginaire au poing. De l'autre côté du terrain, un cri vint leur répondre.

— Contre-attaque !

Une horde d'enfants – parmi lesquels Jonas reconnut Fiona – émergea de son abri et se mit à courir en position ramassée tout en tirant des coups de feu. Plusieurs s'arrêtaient, portaient la main à l'épaule ou à la poitrine dans un geste caricatural et faisaient semblant d'être touchés. Ils se laissaient tomber sur le sol et restaient à terre en réprimant des gloussements. Jonas sentit des émotions surgir en lui. Il se vit avancer sur le terrain de jeu.

– Tu es touché, Jonas! cria Asher de derrière un arbre. Pan! Encore touché!

Jonas était debout seul au milieu du terrain. Plusieurs enfants levèrent la tête et lui jetèrent un regard embarrassé. Les armées ralentirent, se redressèrent et le regardèrent pour voir ce qu'il allait faire.

Jonas revoyait en esprit le visage du garçon mourant dans le pré qui l'avait supplié de lui donner de l'eau. Il eut soudain le sentiment d'étouffer comme s'il lui était difficile de respirer.

Un des enfants leva un fusil imaginaire et essaya de le descendre d'une détonation. «Pan!» Puis ils restèrent debout en silence, mal à l'aise, et on n'entendit plus que la respiration entrecoupée de Jonas. Il faisait un effort pour ne pas pleurer.

Peu à peu, comme rien ne se passait, rien ne bougeait, les enfants se jetèrent un regard nerveux et s'en allèrent. Il les entendit relever leurs vélos et descendre le chemin qui menait au terrain.

Seuls Asher et Fiona étaient restés.

– Qu'est-ce qui se passe, Jonas? demanda Fiona. C'était pour jouer.

– Tu as tout gâché, dit Asher sur un ton irrité.

— Ne jouez plus à ça, le supplia Jonas.

— C'est moi qui vais devenir le directeur adjoint des Loisirs, souligna Asher en colère. Les jeux ne font pas partie de ton champ d'expertude.

— D'expertise, le reprit automatiquement Jonas.

— Peu importe. Ce n'est pas à toi de nous dire à quels jeux on peut jouer, même si tu es le prochain dépositaire.

Asher lui jeta un coup d'œil circonspect.

— Je te demande pardon de ne pas te montrer le respect qui t'est dû, marmonna-t-il.

— Asher, commença Jonas.

Il s'efforçait de parler avec précaution et douceur pour exprimer exactement ce qu'il avait à dire.

— Tu ne pouvais pas savoir. Je ne le savais pas moi-même jusqu'à récemment. Mais c'est un jeu cruel. Dans le temps, il y avait…

— J'ai dit que je te demandais pardon, Jonas.

Jonas soupira. Cela ne servait à rien. Évidemment qu'Asher ne pouvait pas comprendre.

— J'accepte tes excuses, Asher, dit Jonas d'un ton las.

— Est-ce que tu veux aller te promener au bord de la rivière, Jonas ? demanda Fiona qui se mordillait les lèvres de nervosité.

Jonas la regarda. Elle était si jolie. Pendant un bref instant, il eut l'impression qu'il n'aimerait rien tant que de se promener tranquillement à vélo le long de la rivière, en riant et en discutant avec sa douce amie. Mais il savait que ce genre de moments lui avaient été dérobés. Il secoua la tête. Après un instant, ses deux amis tournèrent les talons et se dirigèrent vers leurs vélos. Il les regarda s'éloigner.

Jonas se traîna jusqu'au banc qui se trouvait près de la cabane et s'assit, submergé par un sentiment de perte. Son enfance, ses amitiés, son insouciance – toutes ces choses semblaient lui échapper des mains. À cause de sa sensibilité nouvelle et accrue, il avait été envahi de tristesse à la façon dont les autres riaient et criaient en jouant à la guerre. Mais il savait qu'ils ne pouvaient pas comprendre pourquoi sans les souvenirs. Il éprouvait tellement d'amour pour Asher et pour Fiona. Mais eux ne pouvaient l'éprouver en retour sans les souvenirs. Et il ne pouvait pas les leur donner. Jonas savait avec certitude qu'il ne pouvait rien changer.

Ce soir-là, dans leur habitation, Lily bavarda gaiement, racontant la merveilleuse journée qu'elle avait passée ; elle avait joué avec ses amis, pris son repas de midi dehors et, confessa-t-elle, fait un tout petit tour sur la bicyclette de son père.

– J'ai tellement hâte d'être le mois prochain pour avoir mon vélo à moi. Celui de papa est trop grand pour moi, je suis tombée, expliqua-t-elle d'un ton dégagé. Heureusement que Gabriel n'était pas à l'arrière !

– En effet, dit maman en fronçant les sourcils à cette idée.

Gabriel agita les bras en entendant son nom. Il avait tout juste commencé à marcher la semaine précédente. Les premiers pas d'un enfant étaient toujours un moment de réjouissance au Centre nourricier, avait raconté papa, mais aussi l'occasion d'introduire la baguette disciplinaire. Désormais papa rapportait chaque soir l'instrument effilé au cas où Gabriel ferait des bêtises.

Mais c'était un enfant joyeux et facile à vivre. Il marchait maintenant d'un pas mal assuré à travers la pièce en riant. « Gal », gazouillait-il. « Gal ! » C'était sa manière à lui de dire son nom.

Jonas s'anima. La journée avait été déprimante pour lui après avoir si bien commencé, mais il mit de côté ses idées noires. Il se dit qu'il pourrait apprendre à Lily à se tenir sur un vélo afin qu'elle puisse fièrement démarrer en trombe après sa cérémonie des neuf-ans qui allait bientôt arriver. C'était dur de croire qu'on était de nouveau presque en décembre, que ça faisait déjà presque un an qu'il était devenu un douze-ans.

Il regarda en souriant l'enfant mettre précautionneusement un pied devant l'autre et exulter de joie à chaque pas qu'il faisait.

— Je vais me coucher tôt ce soir, dit papa. J'ai une grosse journée qui m'attend. C'est demain que naissent les jumeaux et les tests montrent que ce sont des vrais.

— Un pour ici, un pour Ailleurs, chantonna Lily. Un pour ici, un pour Aill…

— Est-ce que tu l'emmènes vraiment Ailleurs, papa ? demanda Jonas.

— Non, je dois juste faire la sélection. Je les pèse, je donne le plus gros des deux à un nourricier qui est là à attendre, et puis je lave le plus petit et je le mets bien au chaud. Ensuite je fais une petite cérémonie d'élargissement, et puis…

Il regarda Gabriel en souriant.

— … et puis je fais au-revoir-au-revoir, dit-il de la voix douce et particulière qu'il prenait pour parler aux bébés.

Il fit le geste familier de la main. Gabriel gloussa et lui fit au revoir en retour.

— Et quelqu'un d'autre vient le chercher? Quelqu'un d'Ailleurs?

— C'est ça, Jonas-Ananas!

Jonas leva les yeux au ciel d'embarras en entendant son père employer ce surnom idiot.

Lily était absorbée dans ses pensées.

— Et si Ailleurs ils donnaient un nom au petit jumeau, un nom comme Jonathan, par exemple? Et ici, dans notre communauté, on aurait dit que le jumeau qu'on garde on lui donne le nom de Jonathan, et alors il y aurait deux enfants avec le même nom, et ils se ressembleraient comme deux gouttes d'eau, et un jour, quand ils seraient des six-ans par exemple, on aurait dit qu'un groupe de six-ans irait en bus visiter une autre communauté, et là-bas, dans l'autre communauté, il y aurait un Jonathan qui serait exactement le même que l'autre Jonathan, et alors on aurait dit qu'ils se tromperaient et ramèneraient le mauvais Jonathan et alors ses parents ne s'en rendraient pas compte, et alors...

Elle s'arrêta pour reprendre sa respiration.

— Lily, dit maman, j'ai une idée formidable. Peut-être que quand tu deviendras une douze-ans on t'attribuera le rôle de conteuse! Je crois qu'on n'a pas eu de conteuse dans la communauté depuis longtemps. Mais si je faisais partie du Comité, je te choisirais certainement pour ce poste!

Lily sourit jusqu'aux oreilles.

— J'ai encore une meilleure idée d'histoire, ânonna-t-elle. Et si en fait on était tous des jumeaux et on le savait pas, et alors Ailleurs il y aurait une autre Lily et un autre Jonas et un autre papa et un autre Asher et une autre grande sage et une autre...

— Lily, grogna papa, c'est l'heure d'aller au lit.

18

— Passeur ? demanda Jonas le lendemain. Est-ce que vous pensez parfois à l'élargissement ?

— Tu veux dire mon propre élargissement ou juste l'élargissement en général ?

— Les deux, je crois. Je vous dem... je veux dire que j'aurais dû être plus précis, mais je ne sais pas exactement ce que je veux dire.

— Rassieds-toi. Tu n'as pas besoin d'être allongé pour discuter.

Jonas, qui était déjà étendu sur le lit quand la question lui vint à l'esprit, se rassit.

— Je crois que j'y pense de temps en temps, dit le passeur. Je pense à mon propre élargissement quand je souffre trop. Parfois je souhaiterais demander à être élargi. Mais je ne suis pas autorisé à le faire avant d'avoir formé le nouveau dépositaire.

— Moi, dit Jonas d'un ton abattu.

Il n'était pas pressé de voir se terminer sa formation et de devenir le nouveau dépositaire. Il lui apparaissait clairement que c'était une vie terriblement difficile et solitaire, en dépit de l'honneur qui lui était attaché.

— Moi non plus, je ne peux pas demander à être élargi, fit remarquer Jonas. Ça fait partie de mon règlement.

Le passeur rit avec dureté.

— Ça, je sais. Ils ont mis ces règles au point après l'échec il y a dix ans.

Jonas avait maintenant entendu parler à plusieurs reprises de l'échec précédent. Mais il ne savait toujours pas ce qui s'était passé dix ans auparavant.

— Passeur, dit-il, racontez-moi ce qui s'est passé. S'il vous plaît.

Le passeur haussa les épaules.

— À première vue, c'est assez simple. On a désigné un nouveau dépositaire, comme toi. La sélection s'est faite assez facilement. On a annoncé la sélection au cours de la cérémonie. La foule a acclamé, comme elle l'a fait pour toi. La personne choisie était perplexe et un peu effrayée, comme toi.

— Mes parents m'ont dit que c'était un individu féminin.

Le passeur acquiesça.

Jonas pensa à l'individu féminin qu'il préférait, Fiona, et frissonna. Il n'aurait pas voulu que sa douce amie souffre comme il avait souffert en recevant les souvenirs.

— Comment était-elle ? demanda-t-il.

Le passeur prit un air triste en y pensant.

— C'était une jeune fille remarquable. Pleine de sang-froid et de sérénité. Intelligente et désireuse d'apprendre.

Il secoua la tête et inspira profondément.

— Tu sais Jonas, quand elle est venue me voir dans cette pièce, quand elle s'est présentée pour commencer sa formation…

Jonas l'interrompit par une question.

— Est-ce que vous pouvez me dire comment elle s'appelait ? Mes parents m'ont dit qu'on ne devait plus prononcer son nom dans la communauté. Mais est-ce que vous ne pouvez pas me le dire juste à moi ?

Le passeur eut l'air d'hésiter comme si le fait de prononcer son nom à haute voix risquait d'être trop douloureux.

— Elle s'appelait Rosemary, finit-il par dire.

— Rosemary. J'aime bien ce nom.

Le passeur poursuivit.

— Quand elle est venue me voir la première fois, elle s'est assise sur la chaise où tu t'es assis le premier jour. Elle était impatiente et excitée et un peu effrayée, aussi. Nous avons discuté. J'ai essayé de lui expliquer les choses du mieux que j'ai pu.

— Comme vous l'avez fait avec moi.

Le passeur eut un petit rire piteux.

— Les explications sont difficiles. Cela se situe tellement au-delà de l'expérience commune. Mais j'ai essayé. Et elle a écouté avec attention. Ses yeux étaient très lumineux, je me rappelle.

Il leva brusquement les yeux.

— Jonas, je t'ai donné un souvenir et je t'ai dit que c'était mon préféré. Il m'en reste encore une bribe. La pièce, avec la famille et les grands-parents ?

Jonas hocha la tête. Bien sûr qu'il s'en souvenait.

— Oui, dit-il. Il y avait une émotion magique. Vous m'avez dit que c'était de l'amour.

— Alors tu peux comprendre que c'est ce que j'éprouvais pour Rosemary, expliqua le passeur. Je l'aimais. C'est ce que j'éprouve pour toi aussi, ajouta-t-il.

— Qu'est-ce qui lui est arrivé ? demanda Jonas.

— Nous avons commencé sa formation. Elle recevait bien, comme toi. Elle était tellement pleine d'enthousiasme ! Tellement ravie de faire de nouvelles expériences. Je me rappelle son rire…

Sa voix vacilla et s'évanouit.

— Que s'est-il passé ? redemanda Jonas après un moment. Je vous en prie, racontez-moi.

Le passeur ferma les yeux.

— Ça me brisait le cœur, Jonas, de lui transmettre de la souffrance. Mais c'était mon rôle. C'est ce que je devais faire, comme je l'ai fait avec toi.

La pièce était silencieuse. Jonas attendait. Enfin le passeur continua.

— Cinq semaines. Ce fut tout. Je lui donnais des souvenirs de bonheur : un tour de manège ; un chaton pour jouer avec ; un pique-nique. Parfois j'en choisissais un juste parce que je savais que cela la ferait rire, et je chérissais tellement le son de son rire dans cette pièce qui avait toujours été silencieuse. Mais elle était comme toi, Jonas. Elle voulait tout connaître. Elle savait que c'était sa responsabilité de le faire. Alors elle m'a demandé de lui transmettre des souvenirs plus difficiles.

Jonas retint son souffle un instant.

— Vous ne lui avez pas transmis la guerre, quand même ? Pas après cinq semaines ?

Le passeur secoua la tête en soupirant.

— Non. Et je ne lui ai pas transmis de souffrance physique. Mais je lui ai transmis la solitude. Et la perte. J'ai transmis le souvenir d'un enfant auquel on retirait ses parents. J'ai commencé par ça. Elle avait l'air abasourdie à la fin.

Jonas avala sa salive.

Rosemary et son rire avaient commencé à lui sembler réels, et il la vit en train d'ouvrir les yeux, allongée sur le lit des souvenirs, en état de choc.

Le passeur continua.

– J'ai reculé et lui ai donné d'autres petites joies. Mais tout changea une fois qu'elle eut découvert la souffrance. Je le vis dans ses yeux.

– Elle n'avait pas assez de courage ? suggéra Jonas.

Le passeur ne répondit pas à la question.

– Elle insistait pour que je continue et que je ne l'épargne pas. Elle disait que c'était son devoir. Et je savais, bien sûr, qu'elle avait raison. Je ne pouvais pas me résoudre à lui infliger une souffrance physique. Mais je lui ai transmis des angoisses de plusieurs sortes. La pauvreté, la faim, la terreur. Il fallait que je le fasse, Jonas. C'était mon rôle. Et elle avait été choisie.

Le passeur le regardait d'un air implorant. Jonas lui caressa la main.

– Finalement, un après-midi, nous avons terminé notre travail de la journée. Ç'avait été une séance difficile. J'ai essayé de finir, comme je le fais avec toi, par quelque chose de gai et de joyeux. Mais l'époque des rires avait disparu depuis longtemps. Elle s'est levée en silence, le front plissé comme si elle était en train de prendre une décision. Puis elle s'est approchée de moi et a mis ses bras autour de mon cou. Elle m'a embrassé sur la joue.

Jonas vit le passeur se toucher la joue au souvenir du contact des lèvres de Rosemary dix ans auparavant.

– Ce jour-là elle est partie d'ici, de cette pièce, et n'est pas retournée chez elle. L'annonceur m'a averti qu'elle s'était directement rendue auprès de la grande sage et avait demandé à être élargie.

— Mais c'est contre le règlement ! Le dépositaire-en-formation ne peut pas demander à être él…

— Cela fait partie de tes règles, Jonas. Cela ne faisait pas partie des siennes. Elle a demandé l'élargissement et ils ont dû le lui accorder. Je ne l'ai jamais revue.

C'était donc ça, l'échec, pensa Jonas. Il était évident que cela avait affecté le passeur très profondément. Mais cela ne semblait pas si terrible, après tout. Et lui, Jonas, n'aurait jamais fait ça, n'aurait jamais demandé à être élargi, quelque difficile que fût sa formation. Le passeur avait besoin d'un successeur et il avait été choisi.

Une pensée lui traversa l'esprit. Rosemary avait été élargie au tout début de sa formation. Et si quelque chose lui arrivait à lui, Jonas ? Il détenait une année entière de souvenirs, maintenant.

— Passeur, demanda-t-il, je ne peux pas demander à être élargi, je le sais. Mais s'il se passait quelque chose, un accident ? Si je tombais dans la rivière comme Caleb, le petit quatre-ans ? Bon, ça ne tient pas vraiment debout, parce que je sais bien nager. Mais si je ne savais pas nager et que je tombe dans la rivière et que je disparaisse ? Alors il n'y aurait plus de nouveau dépositaire, mais vous m'auriez déjà transmis tout un tas de souvenirs, si bien que quand ils sélectionneraient un nouveau dépositaire les souvenirs auraient disparu, à part les bribes qui vous en restent ? Et alors si…

Il se mit soudain à rire.

— On dirait ma sœur Lily, dit-il en se moquant de lui-même.

Le passeur le regarda d'un air grave.

— Tu ferais mieux de ne pas trop t'approcher de la rivière, mon ami, dit-il. La communauté a perdu Rosemary après cinq semaines et c'était un désastre pour tous. Je ne sais vraiment pas ce qu'ils feraient s'ils te perdaient.

— Pourquoi est-ce que c'était un désastre ?

— Je crois que je t'ai déjà raconté, lui rappela le passeur, que quand elle a disparu les souvenirs sont revenus aux gens. Si tu disparaissais dans la rivière, Jonas, tes souvenirs ne disparaîtraient pas avec toi. Les souvenirs durent toujours. Rosemary n'avait que cinq semaines de souvenirs et la plupart étaient des bons souvenirs. Mais il y avait ces quelques souvenirs terribles, ceux qui l'avaient atterrée. Pendant un temps ils ont atterré toute la communauté. Toutes ces émotions ! Ils n'avaient jamais connu ça. J'étais tellement ravagé par le chagrin de l'avoir perdue et par mon propre sentiment d'échec que je n'ai même pas essayé de les aider. J'étais en colère, aussi.

Le passeur se tut pendant un moment ; apparemment il réfléchissait.

— Tu sais, finit-il par dire, s'ils te perdaient, avec toute la formation que tu as reçue maintenant, ils seraient de nouveau confrontés à tous ces souvenirs.

Jonas fit la grimace.

— Ils détesteraient ça.

— Ça c'est sûr. Ils ne sauraient pas comment y faire face.

— La seule manière dont j'y fais face c'est en vous ayant, vous, pour m'aider, fit remarquer Jonas dans un soupir.

Le passeur acquiesça.

— J'imagine, dit-il lentement, que je pourrais…

— Que vous pourriez quoi ?

Le passeur était toujours perdu dans ses pensées. Après un moment, il dit :

— Si tu partais dans la rivière, j'imagine que je pourrais aider la communauté entière comme je t'ai aidé. C'est une idée intéressante. Il faut que j'y réfléchisse davantage. Peut-être qu'on en reparlera. Mais pas maintenant. Je suis content que tu saches bien nager, Jonas. Mais ne t'approche pas trop de la rivière.

Il eut un petit rire, mais ce n'était pas de bon cœur. Ses pensées paraissaient ailleurs et ses yeux semblaient très inquiets.

19

Jonas jeta un coup d'œil à la pendule. Ils avaient toujours tellement de travail qu'il était rare qu'ils prennent le temps de discuter comme ils venaient de le faire.

– Je suis désolé d'avoir été si long avec mes questions, dit Jonas. J'ai juste parlé de l'élargissement parce que mon père élargit un nouveau-né aujourd'hui. Un jumeau. Il doit en choisir un et élargir l'autre. Ils font ça au poids.

Il regarda de nouveau la pendule.

– En fait, il doit avoir déjà terminé. Je crois que c'était ce matin.

Le passeur prit un air grave.

– J'aimerais bien qu'ils ne le fassent pas, dit-il à voix basse, comme à lui-même.

– Mais il ne peut pas y avoir deux personnes identiques ! Pensez un peu, on ne s'y retrouverait plus ! pouffa Jonas. J'aimerais bien y assister, ajouta-t-il après coup.

Il aimait l'idée de voir son père accomplir la cérémonie, laver le petit jumeau et le mettre bien au chaud.

Son père était si doux.

– Tu peux, dit le passeur.

– Non, répliqua Jonas. Ils ne laissent jamais les enfants y assister. C'est très confidentiel.

— Jonas, lui dit le passeur. Je sais que tu as lu ton règlement avec beaucoup d'attention. Tu ne te rappelles pas que tu as le droit de poser n'importe quelle question à n'importe qui ?

Jonas hocha la tête.

— Oui, mais…

— Jonas, quand toi et moi aurons fini notre travail tous les deux, tu seras le nouveau dépositaire. Tu peux lire les livres ; tu auras les souvenirs. Tu as accès à tout. Cela fait partie de ta formation. Si tu veux voir un élargissement, tu n'as qu'à le demander.

Jonas haussa les épaules.

— Bon, alors peut-être que je le ferai. Mais c'est trop tard pour celui-ci. Je suis sûr que c'était ce matin.

C'est alors que le passeur lui révéla quelque chose.

— Toutes les cérémonies confidentielles sont enregistrées. Elles se trouvent dans la Grande Salle des Registres privés. Est-ce que tu veux voir l'élargissement de ce matin ?

Jonas hésitait. Il avait peur que son père n'apprécie pas qu'il regarde quelque chose d'aussi confidentiel.

— Je pense que tu devrais, lui dit le passeur d'un ton ferme.

— Eh bien, d'accord, alors, dit Jonas. Dites-moi comment faire.

Le passeur se leva de son fauteuil, se dirigea vers le haut-parleur du mur et tourna le bouton qui était en position «FERMÉ» sur «OUVERT».

La voix se fit aussitôt entendre.

— Oui, dépositaire. Comment puis-je vous aider ?

— Je voudrais voir l'élargissement du jumeau de ce matin.

– Un instant, dépositaire. Merci de vos instructions.

Jonas regarda l'écran vidéo placé au-dessus de la rangée de boutons.

Des zigzags se mirent à apparaître sur l'écran vide ; puis des chiffres, suivis par la date et l'heure. Il était stupéfait et ravi que ce fût à sa disposition, et surpris de ne pas l'avoir su plus tôt.

Soudain il vit apparaître une petite pièce sans fenêtres, vide à l'exception d'un lit, d'une table sur laquelle Jonas aperçut une balance – il en avait déjà vu lors de ses heures de bénévolat au Centre nourricier – et d'un placard. Le sol était recouvert d'une moquette claire.

– C'est juste une pièce normale, fit-il. Je pensais qu'ils faisaient peut-être ça à l'Auditorium pour que tout le monde puisse venir. Tous les anciens vont aux cérémonies d'élargissement. Mais j'imagine que quand c'est un nouveau-né, ils n'ont…

– Chut ! dit le passeur, les yeux sur l'écran.

Le père de Jonas, vêtu de son uniforme de nourricier, entra dans la pièce en berçant dans ses bras un minuscule nouveau-né enveloppé d'un lange.

Une femme en uniforme entra à sa suite en portant un deuxième nouveau-né enveloppé de manière similaire.

– C'est mon père.

Jonas s'aperçut qu'il chuchotait comme s'il risquait de réveiller les nourrissons en parlant à voix haute.

– Et l'autre, c'est son assistante. Elle est encore en formation mais elle aura bientôt terminé.

Les deux nourriciers défirent les langes et couchèrent les nouveau-nés identiques sur le lit. Ils étaient nus. Jonas vit qu'ils étaient de sexe masculin.

Il regarda, fasciné, son père les placer doucement l'un après l'autre sur la balance et les peser. Il l'entendit rire.

— Bon, dit son père à la femme. J'ai cru un instant qu'ils seraient exactement pareils. Ça aurait posé un problème. Mais celui-ci – il lui passa un nourrisson après l'avoir enveloppé de nouveau – fait tout juste trois kilos. Tu peux le laver, l'habiller et l'amener au Centre.

La femme prit le nourrisson et quitta la pièce par la porte par où elle était entrée.

Jonas vit son père se pencher au-dessus du nourrisson qui gigotait sur le lit.

— Et toi, petit bonhomme, tu ne fais que deux kilos six. Tu es une crevette !

— C'est la voix qu'il prend pour parler à Gabriel, fit remarquer Jonas en souriant.

— Regarde bien, dit le passeur.

— Maintenant il va le laver et le mettre bien au chaud, l'informa Jonas. Il me l'a dit.

— Tais-toi un peu, Jonas, ordonna le passeur d'une voix étrange. Et regarde bien.

Jonas obéit et concentra son attention sur l'écran dans l'attente de ce qui allait suivre. Il était particulièrement curieux de voir la cérémonie.

Son père se retourna et ouvrit le placard. Il en sortit une seringue et une petite bouteille. Il inséra l'aiguille dans la bouteille avec beaucoup de précautions et commença à remplir la seringue de liquide transparent.

Jonas fit une grimace de compassion. Il avait oublié qu'on faisait des piqûres aux enfants. Il détestait les piqûres quand il était petit, bien qu'il sût qu'elles étaient indispensables.

À sa surprise, son père commença très délicatement à introduire l'aiguille dans le sommet du crâne du nourrisson, perçant l'endroit où la peau fragile palpitait. Le nouveau-né s'agita et gémit faiblement.

– Pourquoi est-ce qu'il...

– Chuuut! fit le passeur d'un ton sec.

Son père se mit à parler et Jonas se rendit compte que c'était la réponse à la question qu'il avait commencé à poser. Toujours avec sa voix spéciale bébés, son père disait :

– Je sais, je sais. Ça fait mal, mon petit bonhomme. Mais il faut que je trouve une veine et celles de tes bras sont encore trop petites-petites.

Il appuya très doucement sur le piston et injecta le liquide dans la veine du cuir chevelu jusqu'à ce que la seringue fût vide.

– Et voilà ! Tu vois, ce n'était pas si terrible que ça ? reprit son père d'une voix gaie.

Il se retourna et jeta la seringue dans une poubelle.

C'est maintenant qu'il va le laver et le mettre bien au chaud, se dit Jonas en lui-même car il était conscient que le passeur ne voulait pas parler pendant cette petite cérémonie.

Comme il continuait à regarder, il vit le nourrisson, qui ne pleurait plus, être pris d'un soubresaut qui traversa ses bras et ses jambes. Puis il se détendit. Sa tête tomba sur le côté, les yeux mi-clos. Il ne bougea plus.

Avec une drôle d'impression, Jonas reconnut les gestes, la posture, l'expression. Ils lui étaient familiers. Il les avait vus auparavant, mais il n'arrivait pas à se rappeler où.

Jonas fixa l'écran en attendant que quelque chose se passe. Mais il ne se passa rien. Le petit jumeau ne bougeait plus. Son père mettait de l'ordre. Il plia le lange. Il referma le placard.

De nouveau, comme sur le terrain de jeu, Jonas ressentit une sensation d'étouffement. De nouveau il vit le visage ensanglanté du soldat aux cheveux clairs au moment où la vie avait quitté ses yeux. Le souvenir lui revint.

Il l'a tué ! Mon père l'a tué ! se dit Jonas, abasourdi par cette prise de conscience. Il continuait à fixer l'écran, paralysé.

Son père rangea la pièce. Puis il ramassa une petite boîte qui attendait sur le sol, la posa sur le lit et y plaça le corps inerte. Il referma bien le couvercle.

Il prit la boîte et la porta de l'autre côté de la pièce. Il ouvrit une petite porte dans le mur. Jonas vit qu'il faisait noir derrière cette porte. Cela ressemblait au vide-ordures dans lequel on jetait les poubelles à l'école.

Son père plaça le carton contenant le corps dans le vide-ordures et lui donna un petit coup pour le faire glisser.

– Au-revoir-au-revoir, petit bonhomme, l'entendit-il dire avant de quitter la pièce.

Puis l'image disparut.

Le passeur se tourna vers lui. Il dit, tout à fait calmement :

– Quand l'annonceur m'a averti que Rosemary avait demandé à être élargie, ils m'ont passé la cassette pour que je voie le processus. Elle était là, à attendre ; ce fut ma dernière image de cette magnifique enfant. Ils ont apporté la seringue et lui ont demandé de relever sa manche. Tu disais, Jonas, qu'elle manquait peut-être de courage ? Je ne connais pas le courage, je ne sais pas ce que c'est, ni ce que ça veut dire. Ce que je sais, c'est que je suis resté paralysé

d'horreur. Accablé d'impuissance. Et j'ai entendu Rosemary leur dire qu'elle préférait le faire elle-même. Et elle
l'a fait. Je n'ai pas regardé. J'ai détourné la tête.

Le passeur le regarda.

– Eh bien! voilà, Jonas. Tu te posais des questions au
sujet de l'élargissement, dit-il d'une voix amère.

Jonas sentit en lui comme une déchirure, une douleur
atroce qui lui labourait les entrailles avant de se transformer en cri.

20

– Non ! Je ne rentrerai pas chez moi ! Vous ne pouvez pas me forcer !

Jonas sanglotait et hurlait et martelait le lit avec ses poings.

– Assieds-toi, Jonas, lui dit le passeur d'un ton ferme.

Jonas lui obéit. Pleurant et tremblant, il s'assit sur le rebord du lit. Il ne voulait pas regarder le passeur.

– Tu peux rester ici ce soir. Je veux te parler. Mais il faut te taire maintenant pendant que je préviens ta cellule familiale. Personne ne doit t'entendre pleurer.

Jonas leva des yeux égarés.

– Personne n'a entendu ce nourrisson pleurer non plus ! Personne à part mon père !

Il s'effondra de nouveau en sanglots.

Le passeur attendit sans rien dire. Enfin Jonas parvint à se calmer et il se recroquevilla sur le lit, les épaules secouées de spasmes.

Le passeur se dirigea vers le haut-parleur et tourna le bouton.

– Oui, dépositaire. Que puis-je faire pour vous ?

– Prévenez la cellule familiale du nouveau dépositaire

qu'il restera avec moi ce soir pour quelques heures de formation supplémentaires.

– Je m'en occupe, monsieur. Merci de vos instructions, dit la voix.

– Je m'en occupe, monsieur. Je m'en occupe, monsieur, contrefit Jonas d'un ton cruel et sarcastique. Je ferai ce que vous voudrez, monsieur. Je tuerai des gens, monsieur. Des personnes âgées ? Des petits nourrissons ? Je serai ravi de les tuer, monsieur. Merci de vos instructions, monsieur. Comment puis-je vous aid...

Il ne pouvait pas s'arrêter.

Le passeur l'attrapa fermement par les épaules. Jonas se tut et le regarda.

– Écoute-moi, Jonas. Ils n'y peuvent rien. Ils ne connaissent rien.

– Vous me l'avez déjà dit une fois.

– Je te l'ai dit parce que c'est vrai. C'est leur façon de vivre. C'est la vie qu'on leur a fabriquée. C'est la vie que tu mènerais si tu n'avais pas été choisi pour être mon successeur.

– Mais il m'a menti, reprit Jonas en pleurant.

– C'est ce qu'on lui a appris, il ne connaît rien d'autre.

– Et vous alors ? Est-ce que vous me mentez, vous aussi ?

Jonas lui cracha presque la question au visage.

– J'ai le pouvoir de mentir. Mais je ne t'ai jamais menti.

Jonas le dévisagea.

– Est-ce que c'est toujours comme ça, l'élargissement ? Pour les gens qui enfreignent trois fois le règlement ? Et pour les anciens ? Est-ce qu'ils tuent aussi les anciens ?

– Oui, c'est vrai.

— Et Fiona, alors? Elle adore les anciens. Elle est en formation pour apprendre à s'occuper d'eux. Est-ce qu'elle le sait déjà? Qu'est-ce qu'elle va faire quand elle va le découvrir? Qu'est-ce qu'elle va ressentir?

Jonas s'essuya le visage du revers de la main.

— Fiona est déjà initiée aux subtilités de l'élargissement, lui dit le passeur. Elle est très efficace, ton amie aux cheveux rouges. Les émotions ne font pas partie de la vie qu'elle a apprise.

Jonas entoura son torse de ses bras et se mit à se balancer d'avant en arrière.

— Qu'est-ce que je vais faire? Je ne peux pas rentrer! Je ne peux pas!

Le passeur se leva.

— Je vais commencer par commander notre repas du soir. Ensuite, nous allons manger.

Jonas se surprit à reprendre son ton mauvais et sarcastique.

— Et après on partagera nos sentiments de la journée?

Le passeur laissa échapper un rire triste, vide, angoissé.

— Jonas, toi et moi sommes les seuls à avoir des sentiments. On les partage depuis maintenant près d'un an.

— Je suis désolé, passeur, dit Jonas d'un air malheureux. Je ne voulais pas être odieux. Pas avec vous.

Le passeur frotta les épaules courbées de Jonas.

— Et après avoir mangé, poursuivit-il, on va réfléchir à un plan.

Jonas leva les yeux, perplexe.

— Un plan de quoi? Il n'y a rien. Rien à faire. Ç'a toujours été comme ça. Avant moi, avant vous, avant ceux qui étaient avant vous. Et ainsi de suite.

Il récita la phrase familière d'une voix traînante.

— Jonas, reprit le passeur après un moment, c'est vrai que c'est comme ça depuis un temps qui nous paraît infini. Mais les souvenirs nous disent qu'il n'en a pas toujours été ainsi. Il fut un temps où les gens avaient des émotions. Toi et moi avons connu ça, donc nous le savons. Nous savons qu'il fut un temps où ils ressentaient des émotions comme la fierté, le chagrin, la…

— L'amour, ajouta Jonas, se remémorant la scène familiale qui l'avait tellement affecté. Et la douleur.

Il repensait au soldat.

— Ce qu'il y a de pire quand on détient les souvenirs, continua le passeur, ce n'est pas la douleur. C'est la solitude dans laquelle on se trouve. Les souvenirs sont faits pour être partagés.

— J'ai commencé à les partager avec vous, dit Jonas pour essayer de le réconforter.

— C'est vrai. Et le fait de t'avoir ici avec moi depuis un an m'a fait prendre conscience qu'il fallait que les choses changent. Pendant des années, j'ai pensé qu'il fallait qu'elles changent, mais cela me semblait sans espoir. Maintenant, pour la première fois, je pense qu'il peut y avoir un moyen, dit lentement le passeur. Et tu me l'as rappelé il y a à peine… (Il jeta un coup d'œil à la pendule.) deux heures.

Jonas le regarda et l'écouta.

Il était tard dans la nuit, maintenant. Ils avaient parlé, parlé, parlé. Jonas était assis, habillé d'une robe appartenant au passeur, la longue robe que seuls les sages portaient.

C'était faisable, ce qu'ils avaient prévu. Tout juste faisable. S'il échouait, il avait toutes les chances d'être tué.

Mais quelle importance ? S'il restait, sa vie ne valait plus la peine d'être vécue.

— Oui, dit-il au passeur. Je le ferai. Je crois que je peux y arriver. J'essaierai, en tout cas. Mais je veux que vous veniez avec moi.

Le passeur secoua la tête.

— Jonas, dit-il, la communauté a dépendu pendant des générations, avant la tienne, avant la mienne, et ainsi de suite, d'un dépositaire qui détenait ses souvenirs à sa place. Je t'en ai livré beaucoup pendant l'année qui s'est écoulée. Et je ne peux pas les reprendre. Il n'y a aucun moyen pour que je puisse les récupérer maintenant que je les ai transmis. Donc si tu t'enfuis, une fois que tu seras parti, et tu sais Jonas que tu ne pourras jamais revenir…

Jonas acquiesça d'un air grave. C'était l'aspect terrifiant de la chose.

— Oui, dit-il, je sais. Mais si vous venez avec moi…

Le passeur secoua encore la tête et lui fit signe de se taire.

— Si tu t'enfuis, poursuivit-il, si tu t'échappes, si tu arrives Ailleurs, cela veut dire que la communauté devra porter elle-même le fardeau des souvenirs que tu portais à sa place. Je pense qu'ils peuvent y arriver et qu'ils acquerront de la sagesse. Mais ça va être épouvantablement difficile pour eux. Quand nous avons perdu Rosemary, il y a dix ans, et que ses souvenirs sont revenus aux gens, ils ont été pris de panique. Et il y en avait si peu, comparés à ceux que tu détiens ! Quand tes souvenirs reviendront, les gens auront besoin d'aide. Tu te rappelles combien je t'ai aidé au début, quand c'était quelque chose de nouveau pour toi ?

Jonas acquiesça.

— Ça faisait peur au début. Et très mal.

— Tu as eu besoin de moi à ce moment-là. Eux aussi auront besoin de moi.

— Ça ne sert à rien. Ils trouveront quelqu'un pour me remplacer. Ils désigneront un nouveau dépositaire.

— Il n'y a personne qui soit prêt pour recevoir la formation, pas pour l'instant. Oh ! bien sûr, ils vont accélérer la sélection. Mais je ne connais aucun enfant qui ait les qualités requises…

— Il y a un individu féminin aux yeux pâles. Mais ce n'est qu'une six-ans.

— C'est exact. Je vois de qui tu parles. Elle s'appelle Katharine. Mais elle est trop jeune. Ils vont donc être obligés de supporter ces souvenirs.

— Je veux que vous veniez, passeur, supplia Jonas.

— Non. Je dois rester, répliqua le passeur d'un ton ferme. Je veux rester, Jonas. Si je pars avec toi et qu'à nous deux nous leur enlevons tout ce qui les protégeait contre les souvenirs, la communauté n'aura plus personne pour l'aider. Ce sera le chaos. Ils iront à leur perte. Je ne peux pas partir.

— Passeur, suggéra Jonas, on n'a pas besoin de penser aux autres.

Le passeur sourit d'un air interrogateur. Jonas baissa la tête. Bien sûr qu'ils devaient penser aux autres. C'était le sens de toute leur entreprise.

— Et de toute façon, Jonas, reprit le passeur en soupirant, je n'y arriverais pas. Je suis très affaibli maintenant. Sais-tu que je ne vois plus les couleurs ?

Le cœur de Jonas se brisa.

Il prit la main du passeur.

— Tu as les couleurs, lui dit le passeur. Et tu as le courage. Je t'aiderai à avoir la force.

— Il y a un an, lui rappela Jonas, quand je suis devenu un douze-ans, à l'époque où j'ai commencé à voir ma première couleur, vous m'avez dit que le début avait été différent pour vous. Mais que je ne comprendrais pas.

Le visage du passeur s'éclaira.

— C'est vrai. Et sais-tu, Jonas, que maintenant, avec tout ton savoir, avec tous tes souvenirs, avec tout ce que tu as appris, tu ne comprendrais toujours pas ? Parce que j'ai été un peu égoïste. Je ne t'en ai rien transmis. Je voulais la garder pour moi jusqu'à la fin.

— Garder quoi ?

— Quand j'étais un petit garçon, plus jeune que toi, cela m'est venu. Mais ce n'était pas la capacité-à-voir-au-delà pour moi. C'était différent. Pour moi, c'était la capacité-à-entendre-au-delà.

Jonas plissa le front dans son effort pour comprendre ce que disait le passeur.

— Qu'est-ce que vous entendiez ? demanda-t-il.

— De la musique, répondit le passeur en souriant. J'ai commencé à entendre quelque chose de tout à fait remarquable et qui s'appelle de la musique. Je t'en transmettrai avant ton départ.

Jonas secoua énergiquement la tête.

— Non, passeur, dit-il. Je veux que vous la gardiez, je veux que vous l'ayez avec vous quand je serai parti.

Jonas rentra chez lui le lendemain matin, embrassa chaleureusement ses parents et mentit avec facilité au sujet de la nuit agréable et bien remplie qu'il venait de passer.

Son père sourit et mentit avec facilité, lui aussi, au sujet de la journée agréable et bien remplie qu'il avait passée la veille.

À l'école, tout en faisant ses devoirs, Jonas repassa le plan dans sa tête. C'était surprenant de simplicité. Jonas et le passeur l'avaient vu et revu jusque tard dans la nuit.

Pendant les deux semaines suivantes, comme la date de la cérémonie de décembre approchait, le passeur transmettrait à Jonas tous les souvenirs de courage et de force qu'il pouvait. Jonas en aurait besoin pour trouver l'Ailleurs dont ils savaient tous deux avec certitude qu'il existait. Ils savaient que le voyage serait très difficile.

Puis, au milieu de la nuit précédant la cérémonie, Jonas quitterait son habitation en secret. C'était probablement la partie la plus dangereuse du projet car quitter son habitation la nuit sans autorisation officielle constituait une infraction à une règle principale.

– Je partirai à minuit, dit Jonas. À cette heure-là, les équipes de ramassage auront terminé d'enlever les restes des repas du soir et l'équipe d'entretien de la voirie ne commence pas si tôt. Il n'y aura personne pour me voir, sauf si bien sûr quelqu'un est dehors pour une mission d'urgence.

– Je ne sais pas ce que tu devras faire si quelqu'un te voit, Jonas, dit le passeur. Bien entendu, j'ai des souvenirs de toutes sortes d'évasions. Des gens fuyant des choses terribles à travers l'histoire. Mais chaque situation est particulière. Je n'ai pas le souvenir d'une situation comme celle-ci.

– Je ferai attention, dit Jonas. Personne ne me verra.

– En tant que dépositaire-en-formation, tu jouis déjà d'un très grand respect. Je ne pense pas qu'on t'interrogerait avec trop d'insistance.

– Je dirai juste que je faisais une commission importante pour le dépositaire, je dirai que c'était votre faute si j'étais dehors après le couvre-feu, plaisanta Jonas.

Ils rirent un peu nerveusement. Mais Jonas était sûr de pouvoir se faufiler hors de chez lui sans être vu, des habits à la main. En silence, il conduirait son vélo jusqu'à la rivière et le cacherait dans des buissons, ainsi que ses habits bien pliés.

Puis il se dirigerait à pied, dans le noir, jusqu'à l'Annexe.

– Il n'y a pas de gardien de nuit, expliqua le passeur. Je laisserai la porte ouverte. Tu n'auras qu'à te glisser dans la pièce. Je t'attendrai.

À leur réveil, ses parents découvriraient qu'il était parti. Ils trouveraient aussi un petit mot joyeux de Jonas sur son lit, qui dirait qu'il était allé faire une promenade de bon matin le long de la rivière et qu'il serait de retour pour la cérémonie.

Ses parents seraient irrités mais ne s'alarmeraient pas. Ils penseraient que c'était inconsidéré de sa part et prévoiraient de le gronder plus tard.

Ils l'attendraient, de plus en plus en colère, jusqu'au moment où ils seraient forcés de partir sans lui à la cérémonie en emmenant Lily.

– Mais ils ne diront rien à personne, dit Jonas, sûr de lui. Ils n'attireront pas l'attention sur mon incorrection car cela rejaillirait sur eux en tant que parents. Et de toute façon, tout le monde est tellement absorbé par la cérémonie qu'on ne s'apercevra probablement pas de mon absence. Maintenant que je suis un douze-ans et que je suis en formation, je n'ai plus à rester avec mon groupe d'âge. Asher croira donc que je suis avec mes parents ou avec vous…

— Et tes parents penseront que tu es avec Asher ou avec moi.

Jonas haussa les épaules.

— Cela leur prendra un moment pour se rendre compte que je ne suis pas là du tout.

— Et à ce moment-là nous serons déjà loin.

Tôt ce matin-là, le passeur commanderait un véhicule et un chauffeur par le haut-parleur. Il rendait souvent visite aux autres communautés pour rencontrer leurs sages ; ses responsabilités s'étendaient à toutes les régions avoisinantes. Cela n'aurait donc rien d'extraordinaire.

Généralement, le passeur n'assistait pas à la cérémonie de décembre. L'année précédente, il était venu à cause de la sélection de Jonas dans laquelle il était personnellement impliqué. Mais d'ordinaire sa vie était parfaitement distincte de celle de la communauté. Personne ne ferait de remarque sur son absence ou sur le fait qu'il ait choisi ce jour-là pour s'absenter.

Quand le chauffeur et le véhicule arriveraient, le passeur enverrait le chauffeur faire une petite course. Pendant son absence, le passeur aiderait Jonas à se cacher dans le coffre. Il prendrait avec lui un colis de nourriture que le passeur préparerait avec les restes de ses repas des deux semaines à venir.

La cérémonie commencerait avec l'ensemble de la

communauté, et à cette heure-là Jonas et le passeur seraient déjà loin.

Vers midi, l'absence de Jonas deviendrait visible et donnerait lieu à de sérieuses inquiétudes. On n'interromprait pas la cérémonie – une telle interruption serait impensable. Mais on enverrait des patrouilles dans toute la communauté.

Au moment où on retrouverait son vélo et ses habits, le passeur serait de retour. Jonas, lui, aurait entamé seul son voyage vers l'Ailleurs.

Le passeur retrouverait la communauté dans un état de confusion et de panique. Confrontés à une situation qu'ils n'avaient jamais connue et n'ayant pas de souvenirs où puiser réconfort et sagesse, ils ne sauraient que faire et lui demanderaient conseil.

Il se rendrait à l'Auditorium, où la foule se trouverait toujours. Il avancerait à grands pas vers l'estrade et réclamerait leur attention. Il annoncerait de façon solennelle que Jonas avait disparu dans la rivière. Il entamerait aussitôt la cérémonie de la perte.

« Jonas, Jonas », diraient-ils à voix haute comme ils l'avaient fait autrefois avec le nom de Caleb. Le passeur conduirait la psalmodie. Ensemble, prononçant son nom à l'unisson de plus en plus lentement, de plus en plus doucement, ils laisseraient s'évanouir la présence de Jonas, jusqu'à ce qu'il eût disparu, jusqu'à ce qu'il ne fût plus qu'un murmure intermittent ; à la fin de cette longue journée, il aurait disparu pour toujours et ne serait plus jamais évoqué.

Ils concentreraient leur attention sur la tâche écrasante de porter eux-mêmes le poids des souvenirs. Le passeur les y aiderait.

— Oui, je comprends bien qu'ils auront besoin de vous, dit Jonas quand ils eurent enfin fini de discuter et de mettre au point leur plan. Mais moi aussi j'aurai besoin de vous. Je vous en prie, venez avec moi.

Il connaissait déjà la réponse au moment même où il faisait cette dernière tentative.

— Ma tâche sera accomplie, avait répondu le passeur avec douceur, quand j'aurai aidé la communauté à changer et à retrouver une intégrité. Je te suis reconnaissant, Jonas, car sans toi je n'aurais jamais pu penser à un moyen de faire changer les choses. Mais ton rôle maintenant est de fuir. Et mon rôle est de rester.

— Mais vous n'avez pas envie de venir avec moi, passeur ? demanda Jonas avec tristesse.

Le passeur le serra dans ses bras.

— Je t'aime, Jonas, dit-il. Mais j'ai autre chose à faire. Quand j'aurai terminé ma tâche ici, je veux être avec ma fille.

Jonas fixait le sol d'un œil morne. À la réponse du passeur, il redressa la tête, stupéfait.

— Je ne savais pas que vous aviez une fille, passeur ! Vous m'avez dit que vous aviez eu une épouse. Mais je n'ai jamais su que vous aviez une fille.

Le passeur sourit et hocha la tête. Pour la première fois depuis tous ces mois qu'ils avaient passés ensemble, Jonas lui vit un air véritablement heureux.

— Elle s'appelait Rosemary, dit le passeur.

21

Ça allait marcher. Ils allaient y arriver, se répéta Jonas pendant toute la journée.

Mais ce soir-là tout changea. Tout, tout ce qu'ils avaient prévu avec tant de minutie tomba à l'eau.

Ce soir-là, Jonas fut obligé de s'enfuir. Il quitta son habitation peu après que la nuit fut tombée et que la communauté se fut endormie. C'était horriblement dangereux parce qu'il y avait encore des équipes de travail dans les parages, mais il avançait furtivement, en silence, dans l'ombre ; il dépassa les habitations plongées dans l'obscurité et la place Centrale déserte, en direction de la rivière. Au-delà de la place, il aperçut la Maison des anciens et son Annexe qui se découpait sur le ciel nocturne. Mais il ne pouvait pas s'arrêter. Il n'avait pas le temps. Chaque minute comptait désormais, et chaque minute devait l'éloigner de la communauté.

Maintenant il était sur le pont, courbé sur son vélo, et pédalait sans s'arrêter. Il voyait l'eau noire bouillonner en contrebas.

À son étonnement, il ne ressentait ni peur ni regret de quitter ainsi la communauté. Mais il se sentait très triste d'abandonner son meilleur ami. Il savait qu'il ne devait pas faire le moindre bruit dans la situation dangereuse dans laquelle il se trouvait ; mais avec son cœur et avec son âme, il lui lança un appel en espérant que le passeur, grâce à sa capacité-à-entendre-au-delà, saurait que Jonas lui avait dit au revoir.

C'était arrivé pendant le repas du soir. La cellule familiale était réunie pour manger, comme d'habitude. Lily jacassait, maman et papa faisaient leurs remarques habituelles (et leurs mensonges, Jonas le savait maintenant) au sujet de la journée écoulée. À côté, Gabriel jouait gaiement sur le sol en gazouillant et jetait de temps à autre un regard de jubilation vers Jonas, apparemment ravi de le retrouver après son absence inattendue la nuit précédente.

Papa jeta un coup d'œil au bambin.

— Profites-en, petit bonhomme, dit-il. C'est la dernière nuit que tu passes ici.

— Qu'est-ce que tu veux dire ? demanda Jonas.

Papa émit un soupir de déception.

— Eh bien, tu sais qu'il n'était pas là ce matin quand tu es rentré parce qu'on lui a fait passer la nuit au Centre nourricier. Cela nous semblait une bonne occasion d'essayer, puisque tu n'étais pas là. Il dormait tellement bien.

— Ça ne s'est pas bien passé ? demanda maman d'un ton compatissant.

Papa rit d'un air piteux.

— Ce n'est rien de le dire. En fait c'était une catastrophe. Apparemment il a pleuré toute la nuit. L'équipe de nuit n'a pas pu s'en sortir. Ils étaient vraiment épuisés quand je suis arrivé au travail.

— Gaby, tu es un vilain ! gloussa Lily d'un air de réprimande à l'intention du petit garçon assis par terre, qui souriait de toutes ses dents.

— Et donc, reprit papa, c'était clair que c'était la décision à prendre. Même moi j'ai voté en faveur de l'élargissement de Gabriel lors de la réunion cet après-midi.

Jonas reposa sa fourchette et dévisagea son père.

— L'élargissement ? demanda-t-il.

Papa acquiesça.

— On a fait tout ce qu'on pouvait, non ?

— Ça c'est vrai, répondit maman d'un ton catégorique.

Lily approuva de la tête elle aussi.

Jonas s'efforça de garder une voix parfaitement calme.

— Quand ? Quand est-ce qu'on va l'élargir ?

— Demain matin dès la première heure. Nous devons commencer les préparatifs pour la cérémonie du nom, et nous avons pensé qu'il valait mieux s'occuper de ça tout de suite.

« On va faire au-revoir-au-revoir demain matin, Gaby », avait dit papa de sa voix douce et chantante.

Jonas parvint de l'autre côté de la rivière, s'arrêta un instant et se retourna. La communauté où il avait passé l'intégralité de sa vie était maintenant derrière lui, endormie. À l'aube, la vie ordonnée et disciplinée qu'il avait toujours connue continuerait sans lui. La vie où il ne se passait jamais rien d'inattendu. Ni d'importun. Ni d'inhabituel. La vie sans couleur, sans douleur, sans passé.

Il se remit à appuyer vigoureusement sur les pédales et continua à avancer. Ce n'était pas prudent de perdre du temps à regarder en arrière. Il pensa aux lois qu'il avait déjà enfreintes ; c'était assez pour être condamné s'il se faisait prendre maintenant.

Premièrement, il avait quitté son habitation de nuit. Une violation primordiale.

Deuxièmement, il avait volé de la nourriture à la communauté ; un acte très grave, même s'il n'avait pris que des restes déposés sur le pas des portes afin d'être ramassés.

Troisièmement, il avait pris la bicyclette de son père. Il avait hésité un instant, debout dans le noir devant les vélos garés, car il ne voulait rien garder de son père et ne savait pas non plus s'il serait à l'aise sur ce grand modèle alors qu'il était tellement habitué au sien.

Mais c'était nécessaire à cause du siège d'enfant à l'arrière.

Car il avait également pris Gabriel.

Il sentait la petite tête qui rebondissait doucement dans son dos en cadence. Gabriel dormait profondément, attaché dans son siège. Avant de quitter l'habitation, Jonas avait appliqué fermement ses mains sur le dos de Gabriel et lui avait transmis le souvenir le plus apaisant qu'il pût : un hamac qui se balançait doucement sous des palmiers, quelque part sur une île, le soir, au rythme des vagues qui venaient clapoter de manière obsédante sur la plage. Au fur et à mesure que le souvenir filtrait de lui vers l'enfant, il avait senti le sommeil de Gaby s'apaiser et devenir plus profond. L'enfant n'avait pas remué un cil quand Jonas l'avait retiré de son berceau pour l'installer délicatement dans le siège façonné.

Il savait qu'il lui restait les heures de la nuit avant qu'on ne s'aperçût de sa fuite. Il pédalait dur, avec constance, en s'adjurant intérieurement de ne pas faiblir au fur et à mesure que passaient les minutes et les kilomètres. Il n'avait pas eu le temps de recevoir les souvenirs sur lesquels lui et le passeur avaient compté, les souvenirs de force et de courage. Il comptait donc sur ce qu'il avait, en espérant que ce fût assez.

Il contourna les communautés voisines aux habitations plongées dans l'obscurité. Progressivement la distance d'une communauté à l'autre augmentait, et les portions de route déserte s'allongeaient. Au début ses jambes lui firent mal ; puis, avec le temps qui passait, il ne les sentit plus.

À l'aube, Gabriel commença à remuer. Ils se trouvaient dans un endroit isolé ; les champs, de part et d'autre de la route, étaient parsemés çà et là de buissons. Il repéra un ruisseau et s'y rendit en traversant une prairie pleine de bosses et d'ornières ; Gabriel, qui était maintenant complètement réveillé, riait quand les secousses le faisaient sauter dans son siège.

Jonas le détacha, le fit descendre et le regarda partir à la découverte de l'herbe et des brindilles avec ravissement. Il cacha prudemment la bicyclette sous un gros buisson.

– C'est le repas du matin, Gaby !

Il déballa quelques aliments qu'ils mangèrent tous les deux. Puis il remplit d'eau du ruisseau le gobelet qu'il avait emporté et donna à boire à Gabriel. Il but lui-même avec avidité et s'assit près du ruisseau pour regarder l'enfant jouer.

Il était épuisé. Il savait qu'il devait dormir pour reposer ses muscles et être prêt à reprendre la bicyclette. Ce ne serait pas prudent de voyager de jour.

Ils allaient bientôt partir à sa recherche.

Il trouva un endroit bien caché sous les arbres, y emmena l'enfant et s'allongea, Gabriel dans les bras. Gabriel se débattait comme s'il s'agissait d'une bagarre, une bagarre comme celles auxquelles ils jouaient à la maison avec des chatouilles et des rires.

– Désolé, Gaby, lui dit Jonas. Je sais que c'est le matin et que tu viens de te réveiller. Mais il faut dormir maintenant.

Il blottit le petit corps contre lui et caressa son dos. Il lui murmura des choses apaisantes. Puis il appuya fermement ses mains et lui transmit un souvenir de bonne fatigue profonde. Au bout d'un moment, la tête de Gabriel se mit à dodeliner et tomba sur la poitrine de Jonas.

Les fugitifs passèrent leur première journée de danger à dormir.

Le pire, c'étaient les avions. Plusieurs jours s'étaient écoulés maintenant ; Jonas ne savait plus combien. Le voyage était devenu automatique : dormir le jour, cachés sous des buissons ou des arbres ; trouver de l'eau ; partager avec précaution les miettes de nourriture, améliorées de ce qu'il pouvait trouver dans les champs. Et pédaler sur des kilomètres et des kilomètres pendant la nuit.

Ses jambes étaient devenues dures. Elles lui faisaient mal quand il s'allongeait pour dormir. Mais elles s'étaient musclées, et il s'arrêtait moins maintenant pour se reposer. Parfois, il faisait une pause et descendait Gabriel de son siège pour qu'il prenne un peu d'exercice et coure sur la route ou à travers champs dans l'obscurité. Mais chaque fois qu'il fallait repartir, qu'il rattachait l'enfant docile dans son siège et remontait en selle, ses jambes étaient prêtes.

Il avait donc assez de ses propres forces et n'avait pas eu besoin de ce que le passeur aurait pu lui transmettre s'ils en avaient eu le temps.

Mais quand les avions vrombissaient, il aurait aimé que le passeur eût pu lui transmettre le courage.

Il savait que c'étaient des avions de recherche. Ils volaient si bas que le bruit de leurs moteurs le réveillait, et parfois, quand il levait la tête et jetait un coup d'œil inquiet depuis sa cachette, il pouvait distinguer le visage des patrouilleurs.

Il savait qu'ils ne voyaient pas les couleurs et que leurs peaux, tout comme les boucles blondes de Gabriel, n'étaient pour eux que des traînées de gris sur un feuillage terne. Mais il se rappelait de ses cours de science et technologie que les avions de recherche étaient équipés d'appareils sensibles à la chaleur qui pouvaient identifier la température animale et qui repéreraient deux humains pelotonnés sous un arbuste.

Aussi saisissait-il Gabriel aussitôt qu'il entendait le son des avions, et lui transmettait-il des souvenirs de neige en en gardant quelques-uns pour lui. Ils se refroidissaient tous les deux ; et quand les avions étaient partis, ils grelottaient dans les bras l'un de l'autre jusqu'à ce que le sommeil revînt.

Parfois, alors qu'il transmettait à la hâte un de ces souvenirs à Gabriel, Jonas avait le sentiment qu'il était moins net, un peu moins fort qu'avant. C'était ce qu'il avait espéré, et ce qu'il avait prévu avec le passeur : au fur et à mesure qu'il s'éloignerait de la communauté, il se débarrasserait des souvenirs et les laisserait derrière lui. Mais maintenant qu'il en avait besoin quand les avions passaient, il se cramponnait de toutes ses forces aux souvenirs de froid qui lui restaient et s'en servait pour leur survie.

En général les avions les survolaient dans la journée quand ils étaient cachés. Mais la nuit aussi, sur la route, il restait sur ses gardes, l'oreille toujours à l'affût du moindre bruit de moteur. Même Gabriel était aux aguets et il criait parfois : « Avion ! Avion ! » avant que Jonas n'eût entendu le bruit terrifiant. Quand les patrouilles aériennes passaient de nuit, comme cela leur arrivait parfois, alors qu'ils étaient sur la route, Jonas accélérait pour atteindre l'arbre ou le buisson le plus proche, se collait au sol, et refroidissait son corps ainsi que celui de Gabriel. Mais parfois ils y échappaient vraiment de justesse.

Tandis qu'il pédalait nuit après nuit à travers des paysages maintenant déserts, les communautés loin derrière lui, sans le moindre signe d'habitation humaine à l'horizon, il restait toujours vigilant, à l'affût de l'abri le plus proche au cas où le son des moteurs se ferait entendre.

Mais les survols diminuèrent de fréquence. Les avions volaient moins lentement, comme s'ils cherchaient désormais au hasard et sans grand espoir. Enfin, de tout un jour et toute une nuit ils ne passèrent plus du tout.

22

Le paysage se mit à changer. C'était un changement subtil, difficile à déceler tout d'abord. La route plus étroite. bosselée, n'était visiblement plus entretenue. Il était devenu difficile de se tenir en équilibre sur le vélo car la roue avant dérapait à cause des pierres et des ornières.

Une nuit, Jonas tomba car le vélo était venu buter brusquement contre une grosse pierre. Instinctivement, il fit un geste pour retenir Gabriel ; et l'enfant, bien attaché dans son siège, ne fut pas blessé mais seulement effrayé quand le vélo tomba sur le côté. Mais Jonas s'était tordu la cheville, écorché les genoux, et le sang coulait à travers son pantalon déchiré. Il se remit debout avec difficulté, redressa le vélo et rassura Gabriel.

Il se mit à rouler en plein jour, non sans hésitation. Il avait oublié la peur des avions chercheurs, qui semblaient s'être évanouis dans le passé. Mais il découvrait de nouvelles peurs ; le paysage étranger recelait des périls inconnus.

Les arbres s'épaississaient et les forêts sur le bord de la route étaient sombres, pleines de mystères. Ils rencontraient davantage de ruisseaux maintenant et s'arrêtaient souvent pour boire. Jonas nettoyait avec précaution ses genoux blessés, en grimaçant de douleur quand il touchait la chair à vif. La douleur incessante de sa cheville enflée s'adoucissait un peu quand il pouvait la tremper dans l'eau froide qui affluait dans les rigoles du bas-côté.

Il avait récemment pris conscience que la sécurité de Gabriel dépendait entièrement du maintien de ses propres forces.

Ils virent leur première cascade et découvrirent la faune et la flore sauvages.

– Avion! Avion! cria Gabriel.

Jonas obliqua brusquement vers les arbres, bien qu'il n'eût pas vu d'avions depuis des jours et qu'il n'entendît pas de bruit de moteur. Quand il arrêta le vélo parmi des buissons et se tourna pour attraper Gabriel, il vit le petit bras potelé pointé vers le ciel.

Terrifié, il leva les yeux, mais ce n'était pas un avion. Bien qu'il n'en eût jamais vu auparavant, il le reconnut d'après ses souvenirs évanescents car le passeur lui en avait souvent transmis. C'était un oiseau.

Bientôt ils croisèrent beaucoup d'oiseaux qui prenaient leur essor au-dessus de leurs têtes en chantant. Ils virent des biches, et une fois ils rencontrèrent sur le bord de la route, qui les regardait sans crainte d'un air curieux, une petite bête rousse à la queue touffue dont Jonas ne connaissait pas le nom. Il ralentit son allure et ils se dévisagèrent jusqu'à ce que l'animal tournât le dos et disparût dans les bois.

Tout cela était nouveau pour lui. Après avoir passé toute sa vie dans l'Identique et le prévisible, il était éberlué par les surprises qui l'attendaient à chaque tournant de la route. Il ralentissait sans cesse pour contempler avec émerveillement les fleurs sauvages, pour écouter le roucoulement guttural d'un nouvel oiseau, ou simplement pour regarder les feuilles des arbres soulevées par le vent. Durant ses douze années de vie dans la communauté, il n'avait jamais éprouvé de tels moments de bonheur parfait.

Mais il sentait aussi des peurs terribles surgir en lui. La plus impitoyable, c'était la peur de mourir de faim. Depuis qu'ils avaient quitté les champs cultivés, il était devenu presque impossible de trouver de quoi se nourrir. Ils terminèrent les maigres provisions de pommes de terre et de carottes qu'ils avaient récupérées dans la dernière zone agricole ; maintenant, ils avaient toujours faim.

Jonas s'agenouilla près d'un ruisseau et essaya d'attraper un poisson à la main sans y parvenir. Il jeta des pierres dans l'eau d'énervement, tout en sachant au moment même où il le faisait que cela ne servait à rien. Finalement, en désespoir de cause, il fabriqua un filet de fortune en passant les fils du lange de Gabriel autour d'un bâton recourbé.

Après d'innombrables tentatives, le filet leur rapporta deux poissons argentés qui remuaient faiblement. Procédant avec méthode, Jonas les tailla en pièces à l'aide d'une pierre pointue et partagea les lambeaux crus avec Gabriel. Ils mangèrent quelques baies et essayèrent en vain d'attraper un oiseau.

La nuit, alors que Gabriel dormait près de lui, Jonas, éveillé et torturé par la faim, se remémorait la vie dans la communauté où les repas étaient livrés chaque jour dans chaque habitation.

Il tentait d'utiliser sa mémoire faiblissante et parvenait à évoquer des fragments brefs de repas qui le mettaient au supplice : des banquets avec d'énormes pièces de viandes rôties ; des anniversaires avec des gâteaux recouverts d'épais glaçages ; et des fruits bien mûrs, gorgés de soleil et dégoulinants de jus, cueillis sur des arbres.

Quand les bribes de souvenirs s'évanouissaient, il retrouvait la douloureuse sensation de vide qui lui tenaillait le ventre. Jonas se rappelait soudain avec amertume le jour où, dans son enfance, on l'avait grondé parce qu'il avait employé une expression impropre. L'expression était : « mourir de faim ». Tu n'es jamais mort de faim, lui avait-on dit. Tu ne mourras jamais de faim.

Maintenant il était sur le point de mourir de faim. S'il était resté dans la communauté, ça n'aurait pas été le cas. C'était aussi simple que ça. Autrefois, il avait souhaité pouvoir faire des choix. Et puis quand il avait eu à faire un choix, il avait fait le mauvais : le choix de partir. Et maintenant, il mourait de faim.

Mais s'il était resté…

Ses pensées s'enchaînaient. S'il était resté, il aurait été privé d'autres choses. Il aurait vécu une vie dépourvue d'émotions, de couleurs, d'amour.

Et Gabriel ?

Gabriel n'aurait pas vécu du tout. Il n'y avait donc jamais eu vraiment de choix.

Avancer à vélo devint une véritable épreuve car Jonas perdait des forces à cause du manque de nourriture, et parce qu'il découvrait en même temps quelque chose qu'il avait souhaité voir depuis longtemps : des montagnes. Sa cheville foulée le lançait tandis qu'il forçait sur la pédale dans un effort qui était presque insoutenable.

Et le temps se mit à changer, lui aussi. Il plut pendant deux jours. Jonas n'avait jamais vu de pluie, bien qu'il en eût souvent rencontré dans les souvenirs. Il aimait les

pluies des souvenirs, il aimait la nouveauté de cette sensation ; mais cette pluie-ci était différente. Ils avaient froid,
ils étaient mouillés, et ils ne parvenaient pas à se sécher
même quand le soleil réapparaissait après coup, ce qui
était rarement le cas.

Gabriel n'avait pas pleuré depuis le début de ce long
voyage effrayant. Mais il pleurait maintenant. Il pleurait
parce qu'il avait faim et froid et qu'il était horriblement
faible. Jonas pleurait lui aussi pour les mêmes raisons, et
pour une autre encore. Il pleurait parce qu'il craignait
désormais de ne pas parvenir à sauver Gabriel. Il ne pensait plus à lui-même.

23

Jonas était de plus en plus certain que sa destination se trouvait là, très proche désormais dans la nuit qui tombait. Aucun de ses sens ne le confirmait. Il ne voyait rien hormis le ruban étroit de la route qui déroulait sans fin ses sinuosités. Il n'entendait rien.

Et pourtant il le sentait ; il sentait que l'Ailleurs n'était pas loin. Mais il lui restait peu d'espoir d'y parvenir. Ses espoirs s'amoindrirent encore quand l'air vif et froid commença à se troubler et à se remplir d'une blancheur tourbillonnante.

Gabriel, enveloppé dans son lange largement insuffisant, était recroquevillé et tremblait en silence dans son petit siège. Jonas descendit péniblement de bicyclette, souleva l'enfant et s'aperçut avec un pincement de cœur combien il était froid et faible.

Debout dans la substance glacée qui s'amoncelait autour de ses pieds gourds, Jonas ouvrit sa tunique, plaça Gabriel contre sa poitrine nue et enroula le lange sale et déchiré autour d'eux. Gabriel remua faiblement contre lui et ses geignements vinrent un instant peupler le silence qui les entourait.

De loin, comme venu d'un souvenir quasiment oublié,

aussi trouble que la substance elle-même, le nom de cette blancheur lui revint.

– Ça s'appelle de la neige, Gaby, murmura Jonas. Des flocons de neige. Ça tombe du ciel et c'est très joli.

Il n'y eut pas de réponse de la part de l'enfant qui était autrefois si alerte et curieux. Jonas contempla dans la lumière du crépuscule la petite tête posée sur sa poitrine. Les cheveux bouclés de Gabriel étaient emmêlés et très sales et on voyait des traces de larmes dans la crasse qui recouvrait ses joues pâles. Il avait les yeux fermés. Tandis que Jonas le regardait, un flocon de neige vint se poser et fut retenu, le temps d'un éclair, entre les petits cils qui remuaient à peine.

Il remonta avec lassitude sur son vélo. Une côte raide l'attendait. Dans les meilleures conditions, cette pente aurait été difficile à monter et aurait demandé beaucoup de résistance. Mais la neige qui s'accumulait rapidement obscurcissait la route étroite et rendait la montée impossible. Sa roue avant bougea imperceptiblement quand il appuya sur les pédales de ses jambes épuisées et engourdies par le froid.

La bicyclette s'arrêta. Elle ne voulait plus avancer.

Il descendit et la laissa tomber dans la neige. Pendant un instant, il songea combien il serait facile de se laisser tomber à côté avec Gabriel, de se laisser glisser dans la douceur de la neige, dans l'obscurité de la nuit, dans la chaleur réconfortante du sommeil.

Mais il était arrivé jusqu'ici. Il devait essayer de continuer.

Les souvenirs avaient disparu maintenant, échappant à sa protection pour revenir aux gens de sa communauté.

Ne lui restait-il plus rien ? Pouvait-il récupérer un dernier petit morceau de chaleur ? Avait-il encore la force de transmettre ? Gabriel pouvait-il encore recevoir ?

Il appuya ses mains sur le dos de Gabriel et s'efforça de se rappeler la chaleur du soleil. Pendant un moment il lui sembla que rien ne lui venait, que son pouvoir avait complètement disparu. Puis quelque chose remua en lui et il ressentit des petits picotements de chaleur dans ses pieds et dans ses jambes gelés. Il sentit son visage se réchauffer et la peau froide et contractée de ses mains et de ses bras commencer à se détendre. L'espace d'une seconde, il eut le sentiment qu'il voulait tout garder pour lui, qu'il voulait baigner dans la chaleur du soleil sans plus penser à rien ni à personne.

Mais ce moment passa et fut suivi d'un sentiment d'urgence, un besoin, une nécessité impérieuse de partager la chaleur avec la seule personne qu'il lui restait. Dans un effort douloureux, il fit passer le souvenir de chaleur dans le petit corps tremblant qu'il tenait entre les bras.

Gabriel remua. Pendant un moment, enlacés au milieu de la neige aveuglante, ils baignèrent tous les deux dans la chaleur qui leur redonnait des forces.

Jonas commença à gravir la pente.

Le souvenir fut d'une brièveté insoutenable. Il n'avait pas fait plus de quelques mètres dans la nuit qu'il disparut et qu'ils recommencèrent à sentir le froid.

Mais son esprit était alerte maintenant. De se réchauffer, même si peu, l'avait tiré de sa léthargie et de sa résignation, et avait réveillé en lui une volonté de survivre. Il se mit à marcher plus vite ; il ne sentait plus ses pieds. Mais la pente était vraiment raide et il était ralenti par la neige et par son manque de forces. Il n'avait guère avancé quand il trébucha et tomba en avant.

À genoux, incapable de se relever, Jonas fit une deuxième tentative. Il retrouva une vague trace d'un autre souvenir de chaleur, et chercha désespérément à le retenir, à l'amplifier et à le passer à Gabriel. La chaleur passagère le réconforta, lui redonna un peu d'énergie et il se remit sur ses pieds. De nouveau, Gabriel remua contre sa poitrine tandis qu'il recommençait à grimper.

Mais le souvenir s'évanouit, le laissant plus transi qu'auparavant.

Si seulement il avait eu le temps de recevoir plus de souvenirs de chaleur de la part du passeur avant de s'enfuir ! Peut-être lui en resterait-il davantage maintenant ! Mais avec des si… Cela ne servait à rien. Il devait se contenter exclusivement d'avancer les pieds, de se réchauffer lui et Gabriel, et de continuer à progresser.

Il grimpa, s'arrêta et se réchauffa avec Gabriel grâce à un tout petit bout de souvenir qui semblait vraiment être tout ce qui lui restait.

Le sommet de la montagne semblait très loin, et il ne savait pas ce qu'il trouverait derrière. Mais il n'y avait rien d'autre à faire que d'avancer. Il continua à se traîner.

Comme il approchait enfin du sommet, il se produisit quelque chose. Ce n'était pas qu'il eût plus chaud ; il avait plutôt encore plus froid et était davantage engourdi. Ce n'était pas qu'il fût moins épuisé ; au contraire, ses pas semblaient plombés et il pouvait à peine remuer ses jambes gelées et exténuées.

Mais il se sentit soudain joyeux. Il se rappela des jours

heureux. Il pensa à ses parents et à sa sœur. Il pensa à ses amis, Asher et Fiona. Il pensa au passeur.

Des souvenirs de bonheur le submergèrent brusquement.

Il atteignit la crête de la montagne et sentit sous ses pieds couverts de neige le sol qui s'aplanissait. Il n'aurait plus à grimper.

— On y est presque, Gabriel, murmura-t-il.

Il en était tout à fait sûr sans savoir pourquoi.

— Je reconnais cet endroit, Gaby.

Et c'était vrai. Mais ce n'était plus un vague souvenir qu'il devait essayer péniblement de retrouver ; c'était différent. C'était quelque chose qu'il pouvait retenir. C'était un souvenir à lui.

Il serra Gabriel contre lui et se mit à le frotter vigoureusement pour le réchauffer et le conserver en vie. Le vent était glacial. La neige tourbillonnait et l'empêchait de voir. Mais il savait que quelque part devant eux, dans la tempête aveuglante, il y avait de la chaleur et de la lumière.

Mobilisant ses dernières forces et un savoir obscur qu'il portait en lui, Jonas trouva la luge qui les attendait au sommet de la montagne. Ses mains engourdies saisirent la corde à tâtons.

Il s'installa sur la luge et serra Gabriel contre lui. La pente était raide mais la neige était douce et poudreuse, et il savait que cette fois il n'y aurait ni verglas, ni chute, ni souffrance. Dans son corps transi, son cœur se gonfla d'espoir.

Ils commencèrent à dévaler la pente.

Jonas sentit qu'il était sur le point de perdre conscience ; agrippant Gabriel pour le protéger, il fit un suprême effort de tout son être pour se maintenir sur la luge. Les patins fendaient la neige et le vent le fouettait au visage tandis qu'ils accéléraient en ligne droite, et l'entaille qu'ils dessinaient dans la neige semblait les conduire à la destination finale, l'endroit dont il avait toujours su qu'il l'attendait, l'Ailleurs qui détenait leur avenir et leur passé.

Il s'obligea à garder les yeux ouverts comme ils dévalaient la pente en glissant encore et toujours, et soudain il vit les lumières et il les reconnut. Il savait qu'elles brillaient à travers les fenêtres des maisons, que c'étaient les lumières rouges, bleues et jaunes qui scintillent sur les arbres dans les lieux où les familles créent et conservent des souvenirs et où elles célèbrent l'amour.

Toujours plus bas, toujours plus vite. Il sut brusquement, avec certitude et avec joie, que là-bas, en bas, ils l'attendaient; et qu'ils attendaient aussi l'enfant. Pour la première fois, il entendit quelque chose qu'il reconnut comme étant de la musique. Il entendit des gens chanter.

Derrière lui, à travers l'espace et le temps, comme venue de l'endroit qu'il avait quitté, il lui sembla aussi entendre de la musique. Mais peut-être n'était-ce que l'écho.

Cet ouvrage a été achevé d'imprimer
sur Roto-Page
par l'Imprimerie Floch à Mayenne
en mars 2022

N° d'impression : 99864
Imprimé en France